GLA

I Ian, Luned a Ryan
B.W.J.

I Dewi a Tomos
I.W.

Argraffiad cyntaf: 2014

Rhif Llyfr Safonol Rhyngwladol: 978-1-84527-422-1
Cyhoeddwyd gyda chymorth ariannol Cyngor Llyfrau Cymru

Golygydd: Gordon Jones
Dylunydd: Elgan Griffiths

Cyhoeddwyd gan Wasg Carreg Gwalch,
12 Iard yr Orsaf, Llanrwst, Dyffryn Conwy, Cymru LL26 0EH.
Ffôn: 01492 642031 **Ffacs:** 01492 642502
e-bost: llyfrau@carreg-gwalch.com
lle ar y we: www.carreg-gwalch.com

Argraffwyd a chyhoeddwyd yng Nghymru

Ffotograffau
Janet Baxter: clawr (traeth Ynys-las), 6 (top, traeth tywodlyd), 29 (dolffiniaid), 46 (traeth Niwgwl), 48–49 (twyni Ynys-las), 54 (aber afon Dyfi), 56 (Sgomer); Dave Boyle 56 (llygoden bengron Sgomer); Emyr Evans: clawr cefn, 55 (gwalch y pysgod); Jodie Haig 25 (cranc coch); Richard Shucksmith / Ymddiriedolaeth Natur Gogledd Cymru 29 (llamhidyddion); Bethan Wyn Jones 6, 8, 9, 14 (traeth), 17, 18, 19, 20, 21, 22–24, 29 (morlo), 40–41, 44–45, 50–51(Cemlyn a'r planhigion), 52–53 (Ynys Lawd a'r blodau), 58; Lois Nan Jones: clawr, llun yr awduron; Paul Kay 1, 12 (morgi), 26–27, 39; Neil Mansfield 28 (gwylan); Richard Kirby 28 (plancton); Judith Oakley 13, 22 (gwymon troellog), 24 (seren fôr), 25, 42–43; 41 (cragen foch fwyaf), 41 (gwichiad moch), 47 (siani garpiog, abwyd y tywod, cyllell fôr), 59; Ben Stammers 50 (môr-wenoliaid); Steve Trewhella 25 (gwymon coch); iStockphoto

Darluniau
Robin Lawrie 9 (diagramau), 30 ; Chris Shields 10–17

Diolchiadau
Dymuna'r awduron ddiolch o galon i Gordon Jones ac Elgan Griffiths am eu gwaith rhagorol unwaith eto, ac i bawb arall sydd wedi helpu mewn unrhyw fodd gan gynnwys, Emyr Evans, Prosiect Gweilch y Ddyfi; Nia Jones a Ben Stammers, Ymddiriedolaeth Natur Gogledd Cymru; Lizzie Wilberforce a Phil Hurst, Gwarchodfa Natur Ynys Sgomer; Mrs Catrin Roberts a disgyblion Ysgol Gynradd Talwrn; Brân Devey, Cyfoeth Naturiol Cymru.
Dymuna'r cyhoeddwyr ddiolch i'r ffotograffwyr a'r arlunwyr.

GLAN Y MÔR

Bethan Wyn Jones ac Iolo Williams

Gwasg Carreg Gwalch

Cyflwyniad

Ym mhob tywydd ac ym mhob tymor o'r flwyddyn mae modd darganfod gemau ar lan y môr yn yr amrywiaeth enfawr o adar, anifeiliaid, planhigion, gwymon, cregyn, broc môr a chen sydd i'w gweld yna. Mae'r amrywiaeth o draethau a chynefinoedd glan y môr sydd gennym yng Nghymru yn niferus: traethau tywodlyd, traethau creigiog, traethau graeanog, aberoedd, twyni tywod, clogwyni ac ynysoedd. Dewch efo ni am dro i lan y môr!

Bethan Wyn Jones
ac Iolo Williams, Ebrill 2014

Cynnwys

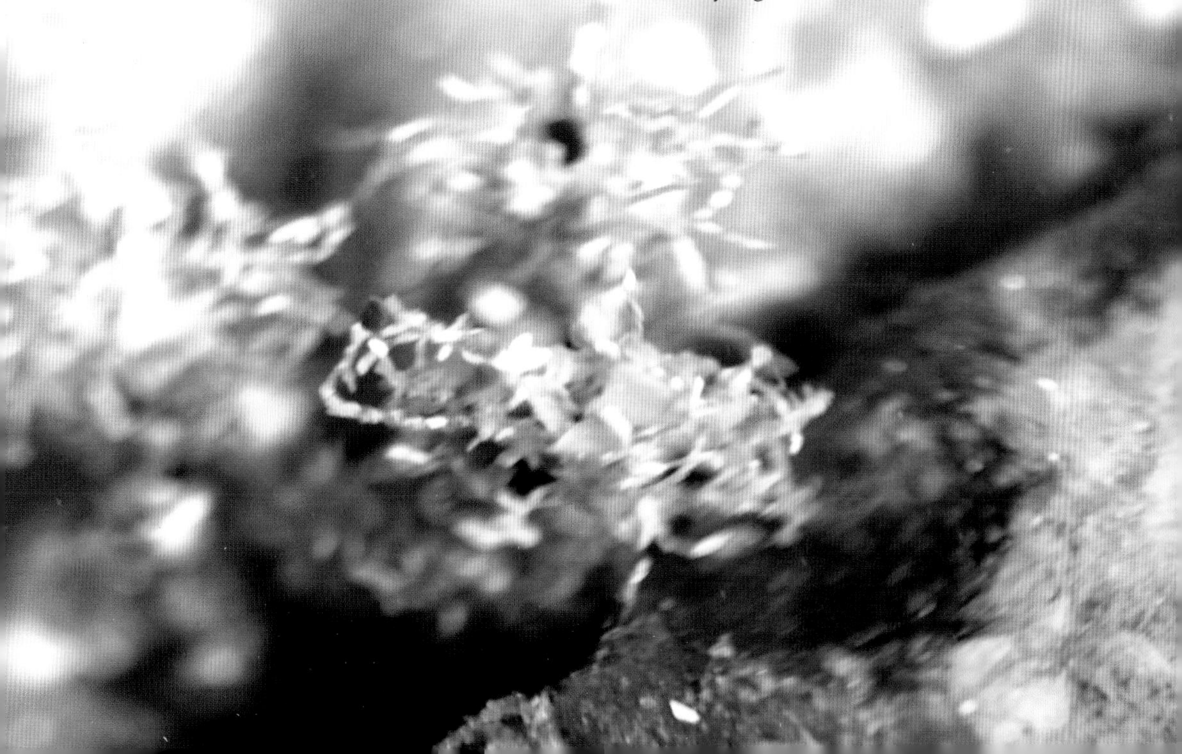

Glannau môr Cymru

MATHAU O DRAETHAU

Ble bynnag rydyn ni'n byw yng Nghymru, does 'run ohonom ymhell iawn o'r môr.
Pa mor dda ydych chi'n adnabod y traeth agosaf atoch? Sut fath o draeth sydd yno?

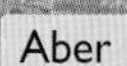
Aber

Traeth creigiog

Traeth tywodlyd

Ynys

Twyni tywod

Traeth graeanog

Clogwyn

Mannau difyr ger y môr

Offer

Does dim dwywaith nad ydi ymweliad â glan y môr yn gallu bod yn gyffrous iawn ond mae gofyn paratoi i gael y gorau o'r cynefin diddorol yma. Dyma restr o bethau defnyddiol:

1 **Dillad addas**. Gwisgwch ddillad cynnes yn y gaeaf a dillad ysgafn sy'n mynd i gadw'r haul oddi ar y croen yn yr haf. Gall côt a throwsus glaw fod yn ddefnyddiol hefyd, yn ogystal â welingtons.
2 **Bwced a rhaw**. Gallwch dyllu â rhaw a chadw creaduriaid am gyfnod byr yn y bwced. Cofiwch roi'r cerrig a'r anifeiliaid yn ôl lle daethoch o hyd iddyn nhw cyn gadael y traeth.
3 **Gogor**. Mae hwn yn ddefnyddiol i wahanu cregyn o'r tywod.
4 **Papur a phensil**. Er mwyn cadw nodiadau a gwneud darluniau.
5 **Camera digidol**. Er mwyn cadw cofnodion o'ch ymweliad ac unrhyw blanhigyn neu anifail sy'n anodd i'w adnabod.
6 **Chwyddwydr**. Mae rhai o'r anifeiliaid ar y traeth yn fach iawn, felly bydd angen hwn i edrych arnyn nhw'n fanwl.
7 **Hylif haul**. Rhaid cael hwn ar ddiwrnodau heulog.
8 **Lliain**. Rhag ofn i chi wlychu!
9 **Bag plastig**. Fel y gwelwch, mae'n handi cael bag plastig wrth law hefyd!

Sbienddrych neu delesgop

I wylio adar ar y traeth, yn enwedig gan fod rhai yn aros yn bell allan ar y môr.

Safle bad achub Moelfre, Ynys Môn

Llanw a thrai

Mae llanw (pan mae dŵr y môr i mewn) a thrai neu ddistyll (pan mae dŵr y môr allan) yn digwydd ddwywaith y dydd. Yr haul a'r lleuad yn tynnu ar y ddaear sy'n eu creu. Wrth i'r haul a'r lleuad dynnu'r môr mae'n gwneud i lefel y dŵr godi a disgyn. Pan fydd y lleuad yn llawn a'r ddaear a'r haul mewn un llinell mae'r llanw ar ei gryfaf. Gorllanw (*spring tide*) ydi'r enw am hyn. Pan fydd yr haul a'r lleuad yn tynnu'n groes ar ongl sgwâr, mae'r llanw ar ei wannaf ac yn cael ei alw'n llanw bach neu farddwr (*neap tide*). Ym misoedd Mawrth a Medi byddwn yn gweld y llanw ar ei uchaf, llanw mawr y gyhydnos (*high spring tides*).

Mae amserau'r penllanw yn amrywio bob dydd ac yn wahanol o ardal i ardal ond mae llyfrynnau tablau llanw, er enghraifft *Liverpool and Irish Sea Tide Table,* yn nodi'r rhain, a gallwch hefyd eu gweld ar y we (www.tidetimes.org.uk).

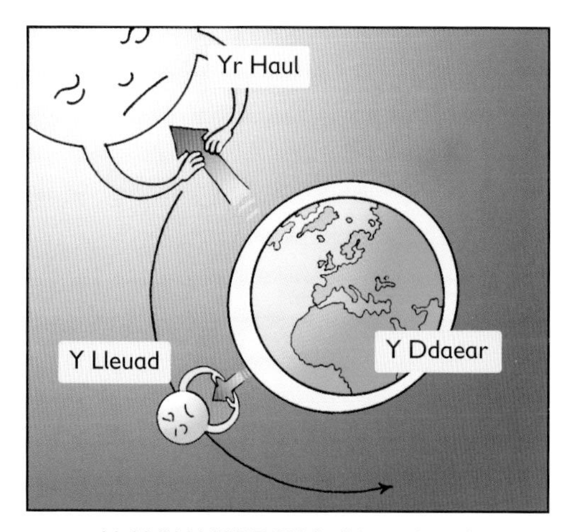

LLANW MARDDWR (Llanw bach)

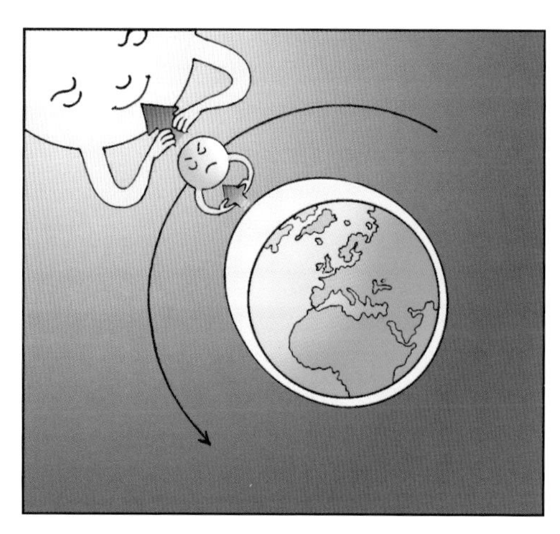
GORLLANW (Llanw mawr)

Lleiniau traeth creigiog

Gellir rhannu'r traeth yn bedair llain.

Yn aml mae'n bosib adnabod y rhannau hyn o'u lliwiau: mae **Llain y diferion** yn oren a du, ac mae'r **Glastraeth** yn wyrdd; brown ydi lliw **Canol y traeth** a choch sy'n nodweddu'r **Llain isarforol**, sef y rhan agosaf at y môr. Mae'r lliwiau hyn yn fwy amlwg o bellter.

1 **Cen melyn arfor** (*Caloplaca marina;* Yellow lichen)
2 **Corn carw'r môr** (*Critmum maritimum;* Rock samphire)
3 **Clustog Fair** (*Armeria maritima;* Thrift)
4 **Maneg y graig** (*Verrucaria maura;* Black tar lichen)
5 **Cragen long** (*Semibalanus balanoides;* Barnacle)
6 **Llygad maharen** (*Patella vulgata;* Limpet)
7 **Gwymon rhychog** (*Pelvetia canaliculata;* Channelled wrack)
8 **Gwichiaid** (*Littorina;* Winkles)
9 **Letys y môr** (*Ulva lactuca;* Sea lettuce)
10 **Perfedd gwyrdd** (*Enteromorpha intestinalis;* Gutweed)
11 **Gwymon codog mân** (*Fucus vesiculosus;* Bladder wrack)
12 **Gwymon troellog** (*Fucus spiralis;* Spiral wrack)
13 **Anemoni gleiniog/Buwch goch** (*Actinia equina;* Beadlet anemone)
14 **Cragen las** (*Mytilus edulis;* Mussel)
15 **Gwymon danheddog** (*Fucus serratus;* Toothed wrack)
16 **Cranc meudwy** (*Pagurus bernhardus;* Hermit crab)
17 **Cranc glas** (*Cancer maenas;* Shore crab)
18 **Gwymon melys** (*Chondrus crispus;* Carragheen seaweed)
19 **Gwymon codog bras** (*Ascophyllum nodosum;* Knotted wrack)
20 **Delysg** (*Palmaria palmata;* Dulse)
21 **Ysbwng** (Sponge)
22 **Llafwr** (*Porphyra purpurea;* Purple laver)
23 **Bysedd dynion marw** (*Alcyonium digitatum;* Dead man's fingers)
24 **Môr-wiail** (*Laminaria;* Kelp)
25 **Bili bigog** (*Gobius paganellus;* Rock goby)
26 **Seren fôr** (*Asterias rubens;* Starfish)
27 **Gwymon cwrel** (*Corallina officinalis;* Coral weed)
28 **Gwregys y môr** (*Laminaria saccharina;* Sea belt)

Mae gwahanol rannau o'r traeth yn cael eu gorchuddio gan y môr ar wahanol adegau o'r dydd gan fod yna drai a llanw ddwywaith bob dydd. Felly mae rhai mathau o wymon ac anifeiliaid yn cael eu gorchuddio gan ddŵr y môr am gyfnodau hir yn ystod y dydd, sef y rhai sy'n byw yn y rhan agosaf at y môr. Mae rhai eraill, y rhai sy'n byw agosaf at y lan, yn gorfod dygymod â bod allan o ddŵr y môr am gyfnodau hir bob dydd.

Y Glastraeth *Littoral fringe*

Canol y traeth *Eulittoral zone*

Llain isarforol *Sublittoral zone*

Llinell y broc môr

Hon ydi'r haen o wymon a gweddillion o'r môr sy'n cael eu gadael ar ôl penllanw. Yr amser gorau i fynd i chwilota ar y traeth ydi ar ôl storm go arw pan fydd pob math o blanhigion ac anifeiliaid marw wedi eu golchi i'r lan.

Dyma gyfle i weld creaduriaid sydd, fel rheol, yn byw yn nyfnderoedd y môr neu o dan wyneb y tywod.

Bydd darnau o gramen crancod yn rhoi cliw i chi pa grancod sydd â'u cynefin ar y traeth arbennig yma a darnau o wymon

Pwrs y fôr-forwyn

Nid môr-forwyn sy'n gyfrifol am y pwrs ond morgi – pysgodyn sy'n perthyn i'r siarc (*Scyliorhinus canicula*; Lesser spotted dogfish). Mae'r fenyw'n symud i ddyfroedd bas i ddodwy wyau yn y codau fel yr un welwch chi yn y llun. Mae'r tendrilau hir ar y pedair cornel yn clymu'n sownd wrth wymon fymryn dan wyneb y môr neu o gwmpas pier neu rywbeth cyffelyb nes bydd y morgwn ifanc yn deor.

yn gyfle da i ddod i adnabod y gwahanol fathau o wymon, fel y môr-wiail mawr. Pan welwch slefrod môr ar y traeth, yn llipa fel darnau o jeli piws, oren neu frown, peidiwch â'u cywrdd rhag ofn mai chwysigod môr (*Physalia physalis;* Portuguese man-of-war) ydyn nhw. Gallech gael eich pigo'n gas hyd yn oed gan un marw o'r rhain.

Casglu cregyn

Olion anifeiliaid a dreuliodd eu bywydau ar draeth tywodlyd neu draeth creigiog ydi cregyn. Bu'r anifeiliaid hyn ar un adeg yn rhan bwysig o gadwyn fwyd glan y môr.

Pelen ryfeddol

Beth ydi'r bêl lwyd neu wyn sy'n edrych fel pelen sbwng neu bapur? O edrych yn agosach, fe welwch nifer o godau bychain gwag, tua 1 cm ar draws, yn y bêl ysgafn. Codau dal wyau ydi'r rhain a'r gragen foch fwyaf (*Buccinium undatum;* Whelk) ydi'r creadur annisgwyl sydd wedi eu dodwy. Mae'r molwsg hwn yn glynu'r codau wrth greigiau, cerrig a chregyn ar y traeth. Gellir cael cymaint â dwy fil o godau wyau y tu mewn i un belen.

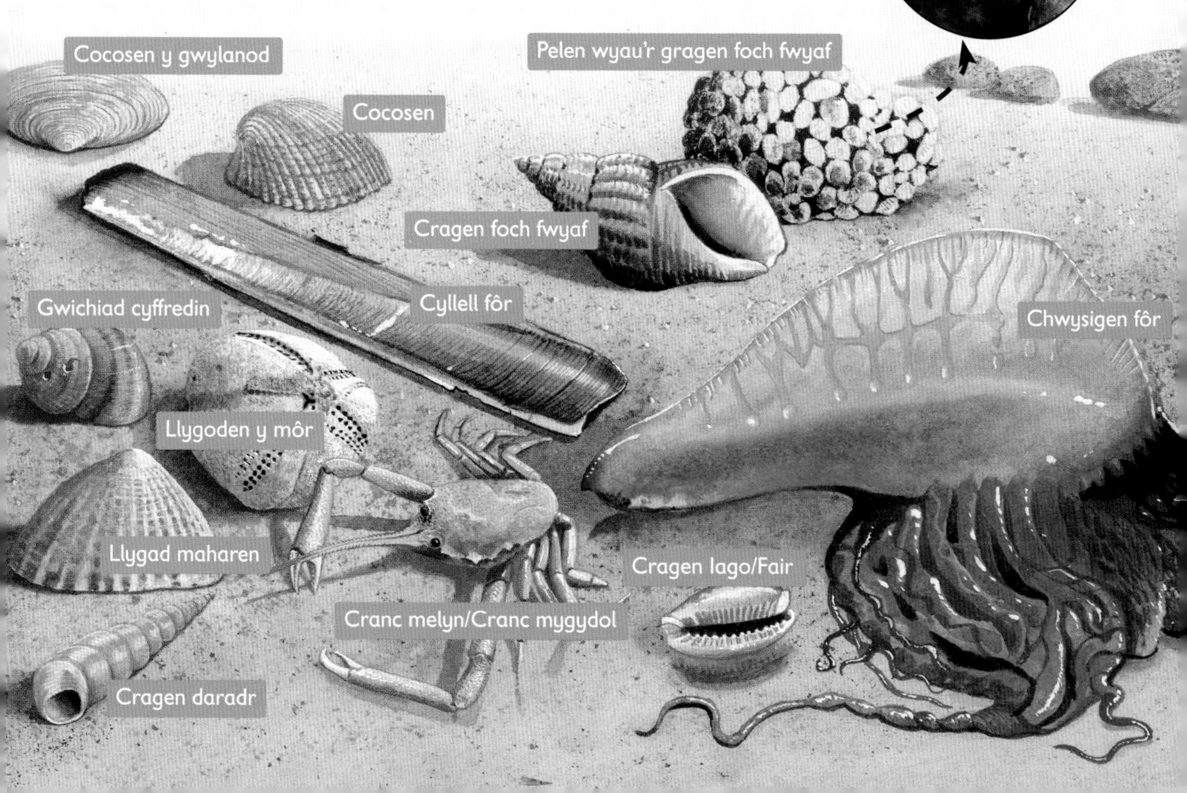

Gwymon

Mae dros 600 o fathau gwahanol o wymon. Alga ydi gwymon a dydi o'n ddim byd tebyg i blanhigion cyffredin sy'n tyfu ar y tir. Does gan wymon ddim dail, dim blodau na gwreiddiau, dim ond ffrondau ac angor er mwyn iddyn nhw ddal eu gafael yn dynn mewn craig. Maen nhw'n cael eu bwyd yn syth o'r môr.

Mae gwymon yn atgenhedlu drwy ffurfio hadgelloedd ar y ffrondau. Gall rhai darnau o'r ffrond fod yn wrywaidd a darnau eraill yn fenywaidd. Bydd yr un benywaidd yn cynhyrchu wyau, a'r darn gwrywaidd yn cynhyrchu had, sy'n cael eu rhyddhau i'r môr ac yn ffrwythloni'r wyau yn y môr.

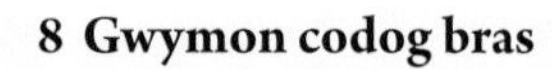

1 Letys y môr (*Ulva lactuca;* Sea lettuce)
Medrwch fwyta hwn – naill ai wedi'i ffrio neu ei dorri'n fân a'i roi mewn salad.

2 Perfedd gwyrdd (*Enteromorpha intestinalis;* Gutweed)

3 Gwymon rhychog (*Pelvetia canaliculata;* Channelled wrack)
Mae'n cael ei ddefnyddio fel powltis i drin crydcymalau.

4 Gwymon codog mân (*Fucus vesiculosus;* Bladder wrack)
Mae'n dda am wella sawl clefyd, gan gynnwys dolur gwddw, yn ogystal â chleisiau.

5 Gwymon melys (*Chondrus crispus;* Carragheen /Irish moss seaweed)
Mae'n cael ei ffermio yn Iwerddon ac yn dda i wneud jeli a phethau eraill.

6 Gwymon danheddog (*Fucus serratus;* Toothed wrack)

7 Gwymon cwrel (*Corallina officinalis;* Coral weed)

8 Gwymon codog bras (*Ascophyllum nodosum;* Knotted wrack)
Mae'n cael ei gynaeafu ar arfordiroedd Canada a Norwy er mwyn tewychu bwydydd fel pwdinau a hufen iâ. Os gwelwch chi 'agar, alginate, carragheen, caragheenan neu E407' ar label bwyd, potel siampŵ neu gwrw, mae gwymon ynddo!

9 Gwregys y môr / Môr-wiail crych (*Laminaria saccharina*; Sea belt/sugar kelp)

10 Môr-wiail byseddog (*Laminaria digitata*; Oarweed)

11 Llafwr (*Porphyra purpurea;* Purple laver)
Mae'n cael ei gynaeafu a'i werthu fel bara lawr yn ne Cymru, ac yn fwyd brecwast poblogaidd. Bydd yn cael ei ffermio yn Japan (ac yn werth biliwn o ddoleri'r flwyddyn) ac yn China.

12 Delysg (*Palmaria palmata*; Dulse)

13 Llinyn y môr / Gwallt y forwyn (*Chorda filum*; Sea lace/Dead man's rope)

Pwll glan y môr

Gallwch weld pyllau glan môr ym mhob rhan o'r traeth creigiog. Gwymon gwyrdd sydd i'w weld yn bennaf yn y rhai ar ran uchaf y traeth. Yn aml ym misoedd yr haf bydd modd gweld ocsigen yn codi fel swigod o aer o'r perfedd gwyrdd wrth iddyn nhw gynhyrchu eu bwyd drwy ddefnyddio ffotosynthesis.

Yn y pyllau yng nghanol y traeth, fe welwch amrywiaeth eang o anifeiliaid a gwymon. Os byddwch yn llonydd ac yn amyneddgar wrth wylio'r pwll, gallech weld berdysen neu gorgimwch yn saethu allan o dan graig, neu granc yn symud yn araf bach i un ochr ar waelod y pwll. Mewn pyllau o'r fath, bydd yr anemoni gleiniog i'w weld yn agor ei dentaclau ac yn symud yn y dŵr wrth hel darnau bach o fwyd i mewn i'w geg sydd yng nghanol y tentaclau.

Llyfrothen (*Pholis gunnellus;* Butterfish)
Mae ganddo gorff fel llysywen ag asgell ddorsal hir. Ceir smotiau duon ar hyd y cefn ac fe'i gwelir ymysg gwymon a chreigiau mewn mannau tywodlyd a mwdlyd, ac weithiau mewn pyllau.

Llain y diferion (Splash zone)

Mae'r llain hon ym mhen uchaf y traeth ac yn ffinio â thir sych. Mae llain y diferion yn cael ei ffurfio, fel mae'r enw'n awgrymu, wrth i ddiferion o'r heli gael eu golchi o'r môr gan y gwynt a'r tonnau. Dim ond pan mae'n benllanw ar lanw mawr neu pan fydd storm go arw neu wynt cryf o'r môr y bydd y môr yn golchi dros y rhan hon o'r traeth. Wrth gerdded ar y rhan uchaf o draeth creigiog, medrwch weld amrywiaeth o anifeiliaid a phlanhigion. Allan o gyrraedd y llanw a'r diferion, fe welwch ambell blanhigyn tlws fel y glustog Fair, yr amranwen arfor a'r betys arfor. Ar y creigiau ar ran uchaf y traeth, gwelir cen o sawl math ond yn bennaf rai oren, melyn a du. Y clytiau oren-felyn ar greigiau ger y môr ydi cen oren y cerrig neu felyn y mur ac mae'n agosach at y tir na'r cen melyn arfor neu gapan y môr sydd i'w weld uwchlaw'r penllanw.

Amranwen arfor

Ceir hefyd ambell rywogaeth o'r gwichiad yma a'r gragen long ar y ffin rhwng llain y diferion a rhan uchaf y traeth creigiog.

Clustog Fair

Yma bydd adar fel cwtiad y traeth yn troi cerrig a chregyn â'u pigau er mwyn chwilio am fwyd oddi tanynt. Gall sawl gwylan fod o gwmpas, yn ogystal ag adar fel y cwtiad torchog a phioden y môr. Bydd rhai o'r adar hyn yn nythu ar ran uchaf y traeth gan wneud crafiad bach yng nghanol cerrig a graean a dodwy eu hwyau yn y fan a'r lle. Mae cuddliw'r wyau fel arfer yn berffaith ac mae'n anodd gwahaniaethu rhwng y graean a'r wyau.

Cen oren y cerrig

Cen

Mae tua 1400 o wahanol fathau o gen yn Ynysoedd Prydain. Cyfuniad o alga (gwymon) a ffwng (madarch) yw cen. Cyfuniad symbiotig ydi'r cyfuniad hwn, lle mae'r ddau yn elwa o'r gydberthynas.

Gwaith yr alga yw defnyddio ffotosynthesis i wneud bwyd, a gwaith y ffwng yw diogelu celloedd yr alga. Mae sborau'r ffwng yn cael eu defnyddio i atgenhedlu ac mae'n rhaid i'r rhain gysylltu â chelloedd yr alga. Mae cen yn tyfu'n araf iawn ac yn gallu byw ar ychydig iawn o ddŵr, a dyma un rheswm pam y gwelir cen yn tyfu'n aml ar lan y môr yn llain y diferion. Erstalwm defnyddid cen i lifo gwlân a deunyddiau eraill er mwyn cael lliwiau gwahanol.

Cen oren y cerrig / melyn y mur

Xanthoria parietina Yellow lichen

Clytiau oren-felyn ar greigiau ger y môr ac mae'n bellach i mewn yn y tir na'r cen melyn arfor. Bydd hwn i'w weld yn amlycach os bydd adar wedi bod yn bawa - mae'r cen yn hoffi'r nitrogen sydd mewn baw adar. Mae'n atgenhedlu drwy gynhyrchu sborau. Os edrychwch chi drwy lens ar wyneb y cen, mi welwch ddisgiau bach oren sydd fymryn yn dywyllach na'r cen - y rhain sy'n cynhyrchu'r sborau.

Cen du arfor / maneg y graig

Verrucaria maura Black tar lichen

Yn y fan lle mae'r penllanw, fymryn uwchben y gragen long, y gwelwch chi hwn. O bell mae'r cregyn llong yn ymddangos fel band llwyd, a'r cen du arfor fel rhimyn du uwch ei ben. Mae digonedd ohono ar y creigiau ar lan y môr ac mae'n hawdd ei gamgymryd am olion olew.

Cen du arfor

Cen melyn arfor neu capan y môr *Caloplaca marina*

Cen melyn sydd i'w weld uwchlaw'r penllanw yw hwn.

Y Glastraeth
(Littoral fringe)

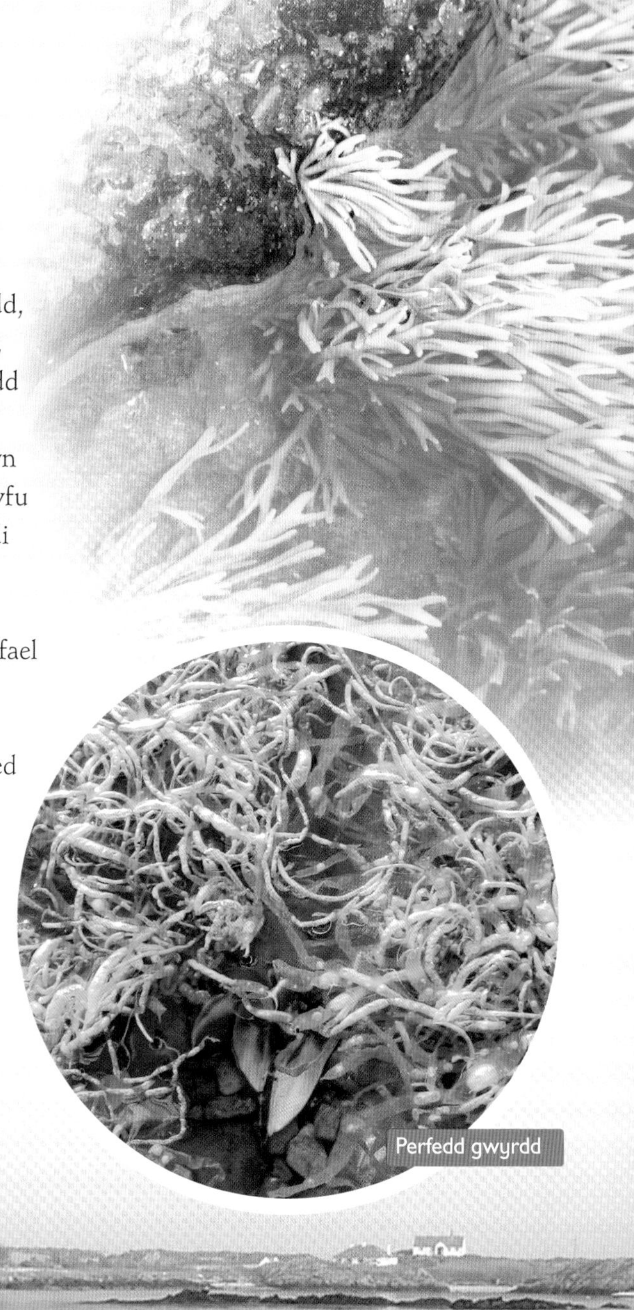

Yn y rhan hon o'r traeth, y rhan werdd, y cewch chi hyd i'r gwymon gwyrdd, sef letys y môr (*Ulva lactuca*) a'r perfedd gwyrdd (*Enteromorph intestinalis*), sy'n edrych fel perfedd. Mae letys y môr yn edrych yn ddigon tebyg i letys sy'n tyfu yn yr ardd, yn enwedig pan fydd wedi agor yn nŵr y môr yn un o'r pyllau. Mae'r ffrond yn eithriadol o denau ac mae yna deimlad llysnafeddog wrth afael ynddi.

Yma hefyd y gwelwch y gwymon rhychog (*Pelvetia canaliculata;* Channelled wrack) ac un bach brown ydi hwn. Mae'n weddol hawdd ei adnabod gan fod ei ffrondau yn cyrlio fel cudynnau modrwyog o wallt, ac mae sianelau neu rychau'n ffurfio yn y cudynnau hyn. Gall y gwymon rhychog dioddef bod yn sych grimp ac fe all dreulio hyd at 90% o'i amser allan o ddŵr y môr – hyd at wyth diwrnod.

Perfedd gwyrdd

Traeth Rhosneigr

Gwymon rhychog

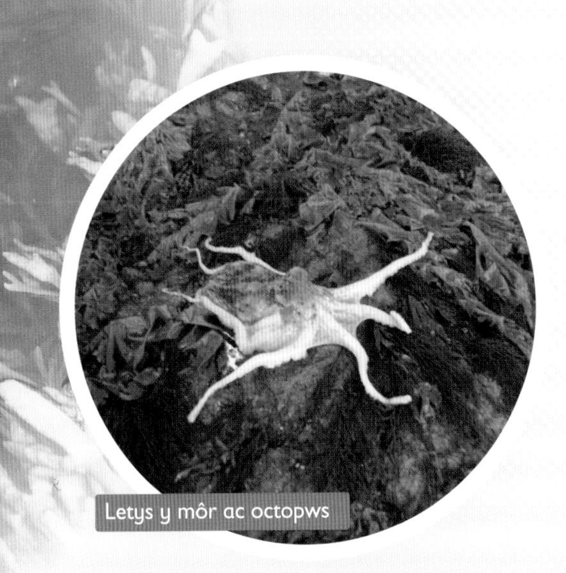
Letys y môr ac octopws

Gwichiad

Erstalwm defnyddid y gwymon rhychog fel bwyd i anifeiliaid, ac mewn rhannau o ynysoedd y Shetland mae defaid yn pori arno.

Pedair rhywogaeth o'r gwichiad (*Littorina*; Periwinkle neu winkle) sy'n gyffredin ar ein traethau ni yma yng Nghymru, sef y gwichiad bychan, y gwichiad bras neu'r gwichiad garw, gwichiad y gwymon - enwau eraill arno ydi gwichiad bach bob lliw a gwichiad y ci a'r gwichiad cyffredin.

Y gwichiad cyffredin (*Littorina littorea*; periwinkle) ydi'r mwyaf, a'r mwyaf cyffredin, ac mae'n weddol hawdd cael hyd iddo ar draeth creigiog. Du ydi lliw'r gragen fel arfer, ond gall hefyd fod yn frown neu goch tywyll. Mae'r gragen yn debyg i gragen y falwen sydd yn yr ardd ond ei bod hi'n fwy pigfain na'r falwen gyffredin. Os trowch chi'r gragen drosodd fe welwch fod gwefl y gragen yn weddol drwchus ac fel arfer yn wyn.

Mae'n hoffi byw ar ran ucha'r traeth, ac mae'n pori ar wymon fel letys y môr, perfedd gwyrdd a grug môr. Dyma'r falwen bwysicaf o ran cadw rheolaeth ar dyfiant gwymon. Yn union fel mae cwningen yn pori mewn cae, mae hwn yn pori ar wymon ar lan y môr. Mae'r gwichiaid yn tueddu i fyw mewn clystyrau gyda'i gilydd ac maent i'w gweld wedi hel at ei gilydd mewn pyllau dŵr hefyd.

Bydd adar fel cwtiad y traeth i'w gweld yn rhedeg yn ôl ac ymlaen ar hyd rhan uchaf y traeth yn chwilio am wichiaid a chregyn llong i'w bwyta.

Canol y traeth (Eulittoral zone)

Gwymon troellog

Fel arfer dyma'r darn mwyaf o draeth creigiog ac yma y gwelwch chi'r rhan fwyaf o'r gwymon sy'n perthyn i urdd y *Fucales*, sef y gwymon brown cyffredin. Dyma gynefin y gwymon codog mân (*Fucus vesiculosus;* Bladder wrack), y gwymon danheddog (*Fucus serratus;* Toothed wrack), a'r gwymon troellog (*Fucus spiralis;* Spiral wrack), ac yma y cewch chi hyd i'r gwymon codog bras (*Ascophyllum nodosum;* Knotted wrack*)*. Fe ddowch chi hefyd ar draws y llygad maharen (*Patella vulgata;* Limpet), y gwichiad (*Littorina;* Winkle), y gragen long (*Semibalanus balanoides; Barnacle*), cragen foch (*Buccinium undatum;* Whelk) a'r top môr (*Gibbula;* Top shell). Un gwymon coch sy'n gwneud ei gartref yng nghanol ac ar waelod y traeth ydi'r gwymon melys (*Chondrus crispus*).

Gwymon codog bras

Top môr

Pioden fôr

Anemoni gleiniog a chragen las

Mae amryw byd o adar yn ymweld â'r rhan hon o'r traeth i chwilio am fwyd. Bydd pioden fôr yn defnyddio'i phig oren, cryf i agor y cregyn gleision a bwyta'r corff meddal sydd y tu mewn iddyn nhw. Mae gwylanod hefyd yn bwyta cregyn gleision, ond yn aml iawn byddant yn codi cragen yn eu pigau ac yna'n ei gollwng ar ddarn o graig er mwyn iddi dorri'n ddarnau ac iddynt gael bwyta'r hyn sydd y tu mewn. Yn aml yn y rhan hon o'r traeth fe gewch byllau glan môr, a chan fod dŵr môr yn cael ei adael ar ôl yn y rhain pan fydd yn treio, mae amrywiaeth o anifeiliaid bach yn gallu byw yma, anifeiliaid bach fel yr anemoni gleiniog, crancod bach, berdys a chorgimychiaid.

Cranc coch ifanc

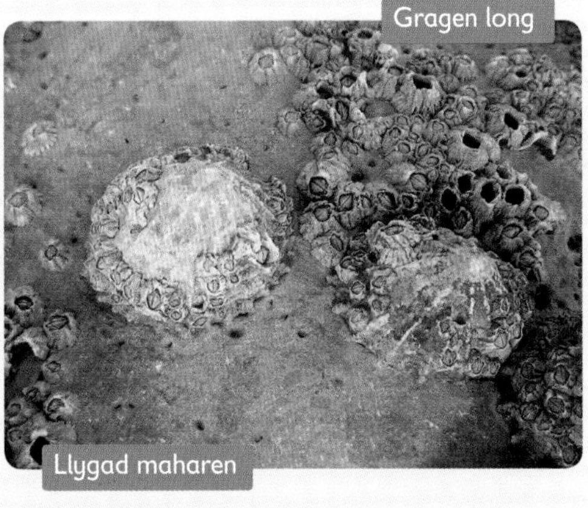
Gragen long

Llygad maharen

Llain isarforol

(Sublittoral zone)

Dyma'r llain sydd agosaf at y môr ac er mwyn gweld beth sy'n byw yma rhaid mynd i'r traeth pan fydd y llanw ar drai ac yn ystod y adeg llanw mawr, er mwyn i'r môr fod allan cyn belled ag sy'n bosibl. Y rhan isaf ydi'r rhan lle cewch chi'r gwymon coch, fel y delysg (*Palmaria palmata*), y gwymon cwrel (*Corallina officinalis*), a'r môr-wiail - y *Laminaria* enfawr, sy'n lliw aur/brown cyfoethog. Gwymon coch (*Porphyra umbilicalis*), sef bara lawr neu'r llafan, ydi'r un mwyaf adnabyddus sydd i'w weld, ac mae'n gyffredin mewn rhannau eraill o'r traeth hefyd.

Gwylan gefnddu fwyaf yn bwyta

Môr-wiail

Bydd cregyn gleision a molysgiaid eraill yn aml i'w gweld yn y fan hon, yn ogystal â'r cranc gwyrdd a'r cranc coch. Pan fydd y môr ar drai gellir gweld gwylanod fel yr wylan benddu, gwylan goesddu, gwylan y penwaig a'r wylan gefnddu fwyaf, yn ogystal ag adar fel pioden fôr yn bwydo ar y cregyn yma. Yma hefyd, yn dal i gael eu gorchuddio gan y môr, mae anifeiliaid fel y seren fôr, ysbwng, draenog y môr a bysedd dynion marw. Ambell dro, fe allwch fod yn ddigon ffodus i weld octopws bach!

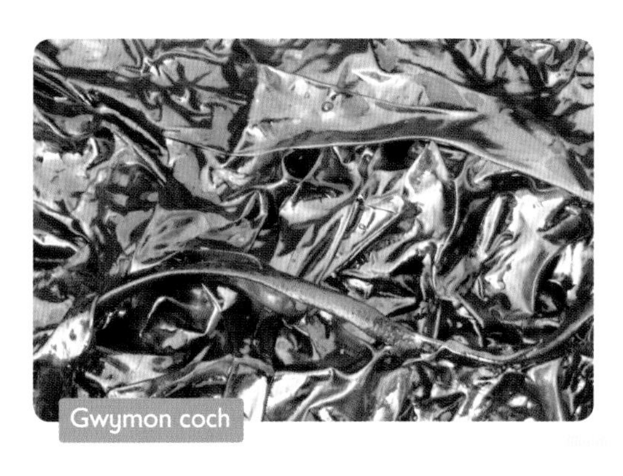

Gwymon coch

Seren fôr

Llanw ar drai ar yr Afon Menai

Crancod

Mae gorchudd caled dros ben a thoracs y rhan fwyaf o grancod er mwyn amddiffyn eu cyrff meddal. Mae gefeiliau ganddyn nhw ar gyfer dal ysglyfaeth i'w fwyta; mae gweddill y coesau ar gyfer symud.

Cranc coch

Cranc glas

Cranc glas (*Carcinus maenas*; Shore crab) Cranc mwyaf cyffredin Prydain. Mae ei liw yn amrywio o wyrddlas i frown golau ac mae ganddo dri 'dant' rhwng y ddau lygad. Bydd yn cuddio o dan wymon a cherrig.

Cranc coch (*Carcinus pagurus*; Brown crab) Creadur cyfarwydd sy'n byw ymysg y creigiau ac o dan y gwymon ac yn bwydo ar weddillion creaduriaid marw. Bydd rhai mawr yn cael eu dal i'w bwyta gan bobl.

Cranc llygatgoch (*Necora puber*; Velvet swimming crab) Cranc cyffredin, yn enwedig ar draethau creigiog, â llygaid coch llachar ac 8–10 o 'ddannedd' rhwng y ddau lygad; mae ganddo gefn blewog fel melfed. Pan gaiff ei gornelu, bydd yn codi ar ei goesau ôl ac yn ymosod yn ffyrnig. Gall nofio gan fod blaenau'r coesau ôl yn wastad.

Cranc llygatgoch

Cranc meudwy

neu granc y cregyn/cranc meddal

(*Pagurus bernhardus;* **Hermit crab**)
Dyma granc sy'n wahanol iawn i grancod eraill ac sy'n un o anifeiliaid mwyaf difyr y traeth. Nid oes gan hwn gramen galed dros ei fol meddal, ac er mwyn amddiffyn ei fol mae'n dewis byw mewn cragen a fu unwaith yn gartref i folwsg. Bydd yn aml iawn yn dewis cragen wag gwichiad neu'r gragen foch fwyaf. Ond er mwyn ffitio i mewn i'r gragen, bydd yn newid siâp ei gorff i weddu i siâp y gragen. Daeth gwyddonwyr i wybod hyn ar ôl mynd â chranc meudwy i labordy a'i weld yn derbyn cragen wydr yn gartref newydd.

Un broblem sy'n wynebu'r cranc meudwy ydi fod ei gragen fenthyg yn mynd yn rhy fach iddo wrth iddo dyfu. Felly, mae'n rhaid ymadael â'r gragen a chwilio am un sy'n fwy o faint – cyfnod andros o beryglus iddo.

Cochfrown ydi lliw'r corff ac mae'r efel dde yn fwy na'r un chwith gan mai hon sy'n cau twll y gragen. Creadur cyffredin mewn pyllau ar draethau creigiog.

Er mwyn bwyta, bydd y cranc meudwy yn llechu yng nghysgod creigiau ac yn aros i anifail bach sydd wedi brifo neu'n sâl ddod heibio. Bryd hynny bydd ei efeiliau yn saethu allan i gipio'i ysglyfaeth. Ond bydd ambell granc meudwy yn ffurfio perthynas cydfwyta (symbiosis) â chydfwytäwr arall – anemoni'r môr – fydd yn gwneud ei gartref ar ben cragen y cranc. Bydd tentaclau'r anemoni'n gwenwyno ysglyfaeth ac wrth i'r cranc ei fwyta bydd yr anemoni hefyd yn cael darnau o'r prae i'w bwyta. Mae'r cranc meudwy yn gwerthfawrogi ei bartner gan ei fod yn symud yr anemoni gydag ef pan fydd yn gorfod symud i gragen newydd.

Cadwyn fwyd

Cadwyn fwyd ydi cyfres o organebau lle mae pob un yn ddibynnol ar y nesaf fel ffynhonnell fwyd. Dyma un math o gadwyn fwyd sy'n digwydd yn y môr ac ar yr traeth.

Mae'r llun yma wedi'i chwyddo'n fawr er mwyn i chi allu gweld yr anifeiliaid a'r planhigion bychain hyn. Gall fod miloedd ohonyn nhw mewn diferyn o ddŵr môr!

Plancton
Anifeiliaid a phlanhigion bychain iawn sy'n cael eu cludo gan gerrynt y môr. Gall miloedd ohonyn nhw fod ym mhob metr sgwâr o ddŵr y môr. Maen nhw mor fach nes eu bod yn anweledig.

Llymrïen *Hyperoplus lanceolatus;* Greater sand eel
Pysgodyn bychan sy'n byw yn y tywod er mwyn osgoi creaduriaid rheibus ac yn bwydo ar y plancton.

Pâl *Fratercula arctica;* Puffin
Mae'r adar yma'n dal llymrïaid yn eu pigau mawr amryliw ac yn hedfan i'w nythod mewn hen dyllau cwningod i fwydo'r cywion.

Gwylan gefnddu fwyaf
Larus marinus; Great black-backed gull
Gwylan fawr, yr un maint â bwncath, sy'n gallu llyncu palod yn gyfan.

Mamaliaid

Bydd llawer o famaliaid fel llwynogod a llygod yn ymweld â'n traethau a'r arfordir yn achlysurol ond yn y llyfr yma rydym yn canolbwyntio ar y mamaliaid hynny sy'n byw yn y môr ger yr arfordir.

Morlo llwyd

Morlo llwyd (*Halichoerus grypus*; Grey seal)
Anifail mawr, hyd at 3 metr o hyd, sy'n aml i'w weld yn agos at y lan a'i ben allan o'r dŵr. Mae'n drwsgl ar y tir ond yn nofiwr penigamp. Mae pen y morlo llwyd yn debyg i ben ci, a'r gôt yn ymddangos yn dywyll yn y dŵr ond yn frown a llwyd pan fydd yn sych. Bydd y lloi bach gwyn yn cael eu geni yn yr hydref ar draethau unig.

Llamhidydd a'i llo

Llamhidydd (*Phocoena phocoena*; Harbour porpoise)
Anifail cymharol fach, tua 1.5 metr o hyd, sy'n aml i'w weld yn nofio'n agos at yr arfordir. Mae'n dywyll ei liw ac mae ganddo asgell ddorsal a thrwyn smwt. Fel rheol, bydd yn nofio mewn heigiau bychain. Mae'n bwydo ar bysgod.

Dolffin trwyn potel
(*Tursiops truncatus*; Bottle-nosed dolphin)
Dolffin mawr â chefn tywyll, trwyn byr a thalcen serth. Mae'r asgell ddorsal yn llydan yn y bôn ac yn gwyro am yn ôl. Gwelir y dolffin hwn ym Mae Ceredigion yn bennaf, yn aml yn neidio allan o'r dŵr ac yn cydnofio â chychod.

Dolffiniaid trwyn potel

Cylch bywyd slefren fôr

Mae slefrod môr yn nofio'n rhydd yn y cefnfor ac yn cael eu cario gan gerrynt y môr. Drwy chwifio'r 'gloch' neu'r 'ymbarél' mae'r anifail yn symud. Bydd yn defnyddio'r tentaclau gwenwynig i ddal ysglyfaeth. Mae slefrod wedi bod yn y moroedd ers o leiaf 500 miliwn o flynyddoedd.

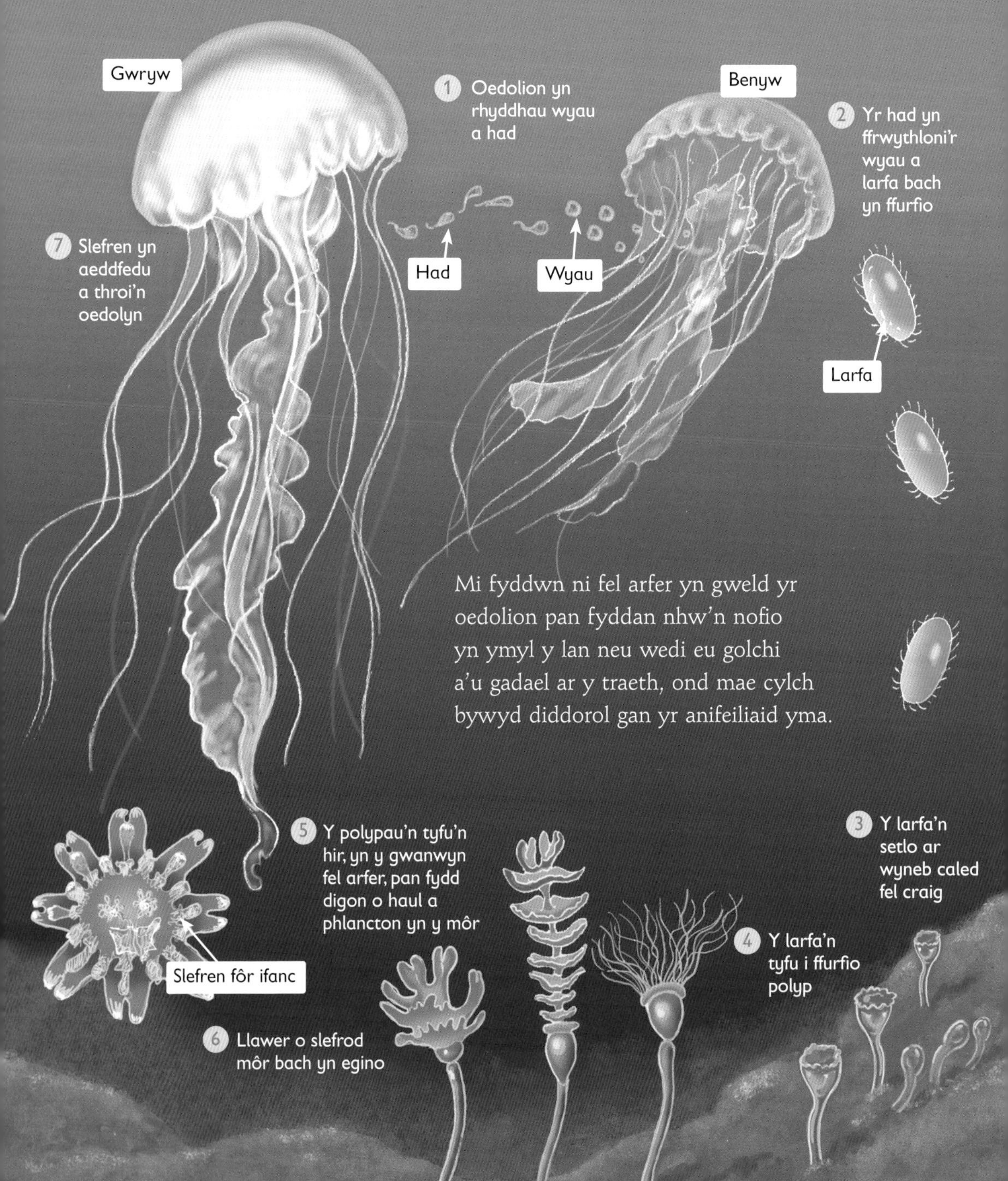

Mi fyddwn ni fel arfer yn gweld yr oedolion pan fyddan nhw'n nofio yn ymyl y lan neu wedi eu golchi a'u gadael ar y traeth, ond mae cylch bywyd diddorol gan yr anifeiliaid yma.

Adar

Aderyn drycin y graig

Aderyn drycin y graig (*Fulmarus glacialis*; Fulmar)
Aderyn tebyg i wylan sy'n hedfan ar adenydd syth. Mae ganddo gorff gwyn, cefn llwydlas a smotyn du y tu ôl i'r llygad. Mae'n nythwr cymdeithasol ar glogwyni morol serth ac yn aderyn cyffredin o amgylch arfordir Cymru.

Aderyn drycin Manaw (*Puffinus puffinus*; Manx shearwater)
Mae ganddo gefn du a bol gwyn. Dyma aderyn pwysicaf Cymru gan fod hanner poblogaeth y byd, dros 250,000 o barau, yn nythu ar Ynysoedd Sgomer, Sgogwm ac Enlli. Fe'i gwelir yn hedfan yn isel dros y tonnau ac, ar adegau, bydd miloedd yn hedfan gyda'i gilydd. Treulia'r gaeaf ger arfordir yr Ariannin yn ne America.

Aderyn drycin Manaw

Mulfran werdd (*Phalacrocorax aristotrlis;* Shag)
Aderyn tebyg iawn i'r fulfran ond mae'n llai o faint a chanddo blu gwyrdd, pig main a thalcen serth. Mae gan yr oedolyn grib amlwg ac yn ystod y tymor nythu, gwelir llinell felen ym môn y pig. Neidia allan o'r dŵr wrth blymio ac fel y fulfran bydd yn sefyll a'i adenydd yn agored er mwyn eu sychu.

Mulfran werdd

Mulfran / Bilidowcar

Mulfran / Bilidowcar (*Phalacrocorax carbo*; Cormorant)
Aderyn môr mawr, tywyll â phig cadarn. Mae'n plymio'n gyson ar ôl pysgod ac yn aml fe'i gwelir yn sefyll â'i adenydd ar led er mwyn eu sychu. Yn yr haf, mae gan oedolion lliw gwyn ar yr ystlys a'r wyneb ac mae gan adar ifanc fol gwyn a chefn brown.

Corhwyaden (*Anas crecca*; Teal)
Hwyaden fechan sy'n ymweld ag aberoedd a llynnoedd dros y gaeaf. Mae gan y ceiliog ben browngoch a llinell werdd drwchus drwy'r llygad, corff llwyd a phen-ôl melyn a du. Llwydfrown ydi'r iâr ac mae gan y ddau fflach o wyrdd drwy'u hadenydd.

Corhwyaden

Crëyr bach

Crëyr bach (*Egretta garzetta*; Little egret)
Aderyn tebyg i grëyr glas bach ond bod y corff yn hollol wyn a'r pig yn ddu. Mae ganddo draed melyn a choesau duon. Mae eu niferoedd wedi cynyddu dros y chwarter canrif diwethaf a heddiw, fe'i gwelir yn aml yn bwydo yn ein haberoedd neu mewn pyllau bas ger yr arfordir.

Hwyaden frongoch

Hwyaden frongoch (*Mergus serrator*; Red-breaster merganser)
Mae gan y ceiliog ben gwyrdd copog, pig coch, gwddf gwyn, bron sy'n frowngoch, ystlys lwyd a chefn du. Pen brown copog sydd gan yr iâr a chorff llwydaidd. Nytha ymysg tyfiant tal ar hyd y glannau.

Hwyaden yr eithin

Hwyaden yr eithin (*Tadorna tadorna*; Shelduck)
Hwyaden fawr, wen â phen a gwddf gwyrdd tywyll, pig coch a choesau pinc. Ceir llinell oren ar draws y fron a'r lliw du ar yr adenydd. Mae gan y ceiliog nobyn coch ym môn y pig. Fe'i gwelir fel rheol ger twyni tywod, mewn dŵr bas ac ar aberoedd.

Pibydd yr aber

Rhostog gynffonddu

Pibydd y mawn

Pibydd yr aber (*Calidris canutus*; Knot)
Ymwelydd â'r traethau ac aberoedd rhwng Medi ac Ebrill. Mae ganddo gefn llwyd, bol gwyn, coesau melyn a phig du byr a main, sy'n cael ei wthio o dan wyneb y mwd i chwilio am grancod bychan a mwydod. Byddan nhw'n ffurfio heidiau mawr sy'n hedfan yn glòs at ei gilydd.

Rhostog gynffonddu (*Limosa limosa*; Black-tailed godwit)
Rhydiwr mawr sydd â choesau hir a phig hir, syth â bôn pinc. Mae ganddo gynffon ddu, crwmp gwyn a llinellau gwyn yn yr adenydd. Mae'n ymwelydd eithaf cyffredin ag aberoedd a thraethau mwdlyd yn y gaeaf.

Pibydd y mawn (*Calidris alpina*; Dunlin)
Ymwelydd cyffredin yn ystod y gaeaf ag aberoedd a thraethau. Dros y gaeaf mae'r cefn yn llwydfrown a'r bol yn wyn. Mae ganddo grymanbig du sy'n ddefnyddiol i fwydo ar rai o'r mwydod sy'n byw yn y mwd a'r tywod meddal.

Pibydd coesgoch (*Tringa totanus*; Redshank)
Nythwr prin, mewn aberoedd yn bennaf, ond ymwelydd cyffredin yn ystod y gaeaf. Mae ganddo gefn brown, bol golau, pig a choesau coch, ac wrth iddo hedfan gwelir llinell wen ar ymyl ôl yr adain. Mae'n aderyn swnllyd iawn.

Gwylan goesddu
(*Rissa tridactyla*; Kittiwake)
Aderyn cyffredin sy'n nythu ar glogwyni serth arfordir ac ynysoedd Cymru. Mae gan yr oedolion gefn llwydlas, corff gwyn, pig melyn a choesau duon. Pan fydd yn hedfan, mae blaen yr adenydd yn ddu. Ceir llinell igam-ogam ar draws cefn adar ifanc.

Gwylan goesddu

Gwylan gefnddu leiaf

Gwylan gefnddu leiaf (*Larus fuscus*; Lesser black-backed gull)
Aderyn yr un maint â gwylan y penwaig ond bod y cefn yn llwyd tywyll. Mae'r coesau a'r pig yn felyn â smotyn oren ar flaen y pig. Brown brith yw lliw adar ifanc. Fe'i gwelir ar yr arfordir, ar domennydd sbwriel ac mewn trefi a dinasoedd glan môr.

Llurs

Llurs (*Alca torda*; Razorbill)
Aderyn du a gwyn â phig cadarn sy'n nythu ar glogwyni serth yr arfordir ac ar ynysoedd fel Enlli a Sgomer. Y tu allan i'r tymor nythu, mae'n colli llawer o'r lliw du ac yn treulio'i amser allan ar y môr mawr.

Gwylan benddu (*Larus ridibundus*; Black-headed gull)
Gwylan fach, gyffredin. Yn yr haf, mae ganddi ben brown tywyll, cefn llwyd golau, bron a bol gwyn, coesau a phig coch. Yn y gaeaf, mae'r pen brown yn diflannu'n smotyn bach tywyll uwchben y llygad. Mae gan adar ifanc batrwm brown a llwyd ar hyd y cefn.

Gwylan benddu

Corhedydd y graig

Gwylog

Corhedydd y graig (*Anthus petrosus*; Rock pipit)
Aderyn bach, llwydaidd gyda rhesi tywyll ar hyd y corff. Llwyd yw lliw plu allanol y gynffon. Mae'n nythu ar glogwyni ar hyd arfordir Cymru ond fe'i gwelir yn bwydo ar hyd ein traethau.

Gwylog (*Uria aalge*; Guillemot)
Aderyn tebyg i'r llurs ond gyda phen a chefn lliw siocled, bol gwyn a phig mwy main. Mae'n nythu mewn nythfeydd anferth o gannoedd o adar ar glogwyni serth. Yn y gaeaf mae'n fwy gwyn ond â llinell dywyll drwy'r llygad.

Brân goesgoch

Brân goesgoch (*Pyrrhocorax pyrrhocorax*; Chough)
Aderyn yr un maint â jac-y-do gyda chorff tywyll, coesau coch a phig coch siâp cryman. Gwelir 'bysedd' amlwg ar flaen yr adenydd pan fydd yn hedfan. Mae'n nythu mewn ogofâu a thyllau mewn clogwyni ar hyd arfordir gorllewin Cymru.

Pâl (*Fratercula arctica*; Puffin)
Aderyn du a gwyn â choesau oren a phig coch, glas a melyn unigryw. Mae gan oedolion y gaeaf ac adar ifanc fochau budr a phig llai lliwgar. Mae'n nythu mewn hen dyllau cwningod, ar ynysoedd yn bennaf.

Pâl

Rhydwyr a'u bwyd

Ar rai o draethau ac aberoedd Cymru bydd cannoedd, os nad miloedd, o adar yn hel at ei gilydd am gyfnodau hir dros yr hydref a'r gaeaf. Ar aber afon Dyfrdwy, er enghraifft, bydd dros 100,000 o adar gwahanol yn ymgasglu rhwng mis Hydref a mis Mawrth. Un cwestiwn sy'n codi ydi sut mae cymaint o wahanol rywogaethau yn gallu goroesi'r gaeaf mewn ardaloedd mor gyfyng?

Un o'r prif ffyrdd mae'r adar wedi llwyddo i wneud hyn ydi drwy osgoi cystadlu am yr un bwydydd. Er mwyn gwneud hynny, mae darnau o'r corff wedi addasu ar gyfer dal gwahanol fathau o brae. Yr enghraifft orau o hyn yw maint pigau rhai o'r rhydwyr sy'n ymweld â'n haberoedd dros y gaeaf.

Gylfinir (*Numenius arquata*; Curlew)
Bydd miloedd o'r adar mudol hyn yn treulio'r hydref a'r gaeaf ar ein haberoedd. Aderyn mawr llwydfrown ydyw, â phig hir, cam sy'n troi tuag i lawr. Bydd yn bwydo drwy wthio'i big hir i mewn i'r mwd a'r tywod i chwilio am fwydod ac abwyd y traeth sy'n byw yn ddwfn o dan yr wyneb. Mae'r crwmp gwyn yn amlwg pan fydd yn hedfan.

Pioden fôr (*Haematopus ostralegus*; Oystercatcher)
Aderyn du a gwyn swnllyd â phig hir, coch a choesau pinc. Fe'i gwelir yn aml ar aberoedd, ar draethau tywodlyd a chreigiog neu ar gaeau ger yr arfordir. Mae'n bwydo ar gregyn gleision, cocos a mwydod.

Cwtiad torchog (*Charadrius hiaticula*; Ringed plover)
Aderyn bychan, swil sy'n nythu ar draethau tywodlyd a chreigiog ond sy'n osgoi traethau lle ceir llawer o ymwelwyr. Mae ganddo gefn brown, bol gwyn, coler ddu a phatrwm du a gwyn ar yr wyneb. Oren ydi'r coesau a cheir blaen du ar big oren. Tu allan i'r tymor nythu, fe'i gwelir ar aberoedd a thraethau tywodlyd.

Pibydd y tywod (*Calidris alba*; Sanderling)
Aderyn bach, golau sy'n cerdded i mewn ac allan ar y traeth yn dilyn y tonnau. Dim ond yn agos ato mae'r cefn llwyd a'r pig, y coesau a'r ysgwyddau du yn amlwg.

Cwtiad y traeth (*Arenaria interpres*; Turnstone)
Aderyn cyffredin ar draethau creigiog drwy'r flwyddyn. Mae ei gefn yn gymysgedd o ddu, brown a gwyn, a cheir ffin amlwg rhwng y fron dywyll a'r bol gwyn. Oren yw lliw'r coesau ac mae'r pig byr yn ddu.

Ymlusgiaid

Madfall y tywod (*Lacerta agilis*; Sand lizard)
Madfall brin sydd wedi cael ei hailgyflwyno i rai o dwyni tywod Cymru ar ôl diflannu o'r wlad yn yr 20fed ganrif. Mae'n fwy o faint na'r fadfall gyffredin, ac yn ystod y tymor bridio mae ystlysau'r gwryw yn wyrdd llachar. Bydd yn gaeafgysgu rhwng Hydref ac Ebrill a bydd i'w gweld yn aml yn torheulo ar dywod moel ymysg y moresg.

Madfall (*Lacerta vivipara*; Common lizard)
Fe'i gwelir yn aml yn torheulo ar gloddiau a llecynnau agored ar rostiroedd arfordirol. Anifail bychan â chorff brown neu lwydfrown ydyw, â smotiau amrywiol a chynffon hir. Mae'n gaeafgysgu rhwng Hydref a Mawrth.

Gwiber (*Vipera berus*; Viper/Adder)
Neidr wenwynig sydd i'w gweld ar rostiroedd arfordirol. Arian ydi lliw corff y gwryw fel rheol, a'r fenyw yn efydd, ond ceir llinell igam-ogam, dywyll ar hyd corff y ddau. Mae'n gaeafgysgu rhwng Hydref a Mawrth.

Amffibiaid

Broga'r twyni (*Bufo calamita*; Natterjack)
Anifail prin iawn a gafodd ei ailgyflwyno i rai o dwyni tywod Cymru ar ôl diflannu o'r wlad yn yr 20fed ganrif. Mae ganddo gorff melynfrown a llinell felen i lawr canol y cefn. Fe fyddan nhw'n ymgasglu mewn pyllau bas ymysg y twyni i fridio, fel rheol gyda'r nos.

Pysgod

Lledod (Flatfish)
Grŵp o bysgod tebyg sydd â chorff gwastad a'r ddau lygad ar ben y corff. Mae'r lliwiau'n amrywio o frown tywyll i lwyd golau ac fe'u gwelir ar wely môr mwdlyd a thywodlyd, yn aml mewn dŵr bas ac aberoedd.

Bili bigog (*Gobius paganellus*; Rock goby)
Pysgodyn â phen mawr sy'n byw ymysg gwymon a cherrig ar draethau caregog. Mae ganddo linellau brown tywyll ar gorff brown golau. Mae'n anodd i'w weld oherwydd ei guddliw.

Hyrddyn llwyd gweflog (*Chelon labrosus*; Thick-lipped grey mullet)
Pysgodyn mawr â chorff llwyd-arian a gwefus uchaf drwchus iawn. Mae'n gyffredin mewn aberoedd a dyfroedd bas o amgylch yr arfordir.

Lledod

Bili bigog

Hyrddyn llwyd gweflog

Llyfrothen benddu (*Lipophrys pholis*; Shanny)
Pysgodyn bach cyffredin sy'n byw ar draethau caregog. Fe'i gwelir ymysg gwymon a cherrig, weithiau mewn pyllau, ac er bod ei liw yn amrywio, fel rheol mae'n gymysgedd o smotiau brown golau a gwyrdd.

Llyfrothen benddu

Molysgiaid

Gwichiad cyffredin
(*Littorina littorea*;
Edible periwinkle neu Winkle)
Malwen gyffredin iawn ymysg y gwymon gyda chragen dywyll, arw, â blaen main a gwefus drwchus. Fe'i gwelir ar draethau creigiog ar hyd a lled yr arfordir.

Cocosen (*Cardium edule*; Cockle)
Cragen gyffredin sy'n claddu ei hun mewn tywod a mwd ar draethau ac aberoedd. Mae dau hanner y gragen yr un maint a gall y lliw amrywio'n fawr.

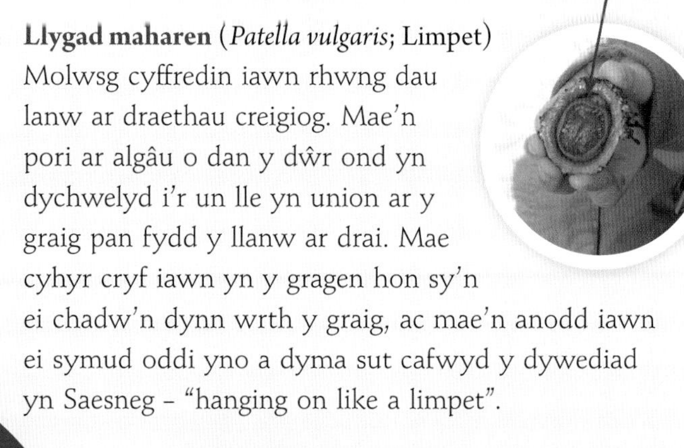

Llygad maharen (*Patella vulgaris*; Limpet)
Molwsg cyffredin iawn rhwng dau lanw ar draethau creigiog. Mae'n pori ar algâu o dan y dŵr ond yn dychwelyd i'r un lle yn union ar y graig pan fydd y llanw ar drai. Mae cyhyr cryf iawn yn y gragen hon sy'n ei chadw'n dynn wrth y graig, ac mae'n anodd iawn ei symud oddi yno a dyma sut cafwyd y dywediad yn Saesneg – "hanging on like a limpet".

Gwichiad y gwymon
(*Littorina obtusata*;
Flat periwinkle)
Molwsg â chragen gron, lefn, sgleiniog. Gall y lliw amrywio ond fel rheol mae'n felyn llachar neu'n gochfrown. Mae'n niferus ar ganol lefel y llanw ymysg gwymon ar draethau creigiog.

Cragen las (*Mytilus edulis;* Mussel)
Cragen gyfarwydd ar draethau creigiog neu'n glynu wrth gerrig neu byst yng ngheg aberoedd. Mae'r ddwy gragen yr un maint, yr ochr allan yn las tywyll a'r tu mewn yn las golau. Mae'n aml yn tyfu mewn grwpiau mawr, amlwg.

Cyllell fôr (*Ensis arcuatus;* Razor shell)
Cragen hir sy'n byw o dan yr wyneb ar draethau tywodlyd ac yn defnyddio seiffon hir i dynnu darnau organig mân o'r dŵr. Mae wyneb allanol y gragen yn frown golau a'r tu mewn yn wyn, ac mae'r cregyn i'w gweld yn gyson wedi'u gadael ar y traethau ar ôl i'r anifail y tu mewn iddyn nhw farw.

Cragen foch fwyaf (*Buccinum undatum*; Whelk)
Gwelir yr anifail byw ar dywod neu fwd mewn dŵr bas ar lanw uchel ond gan amlaf y cregyn gweigion sydd i'w gweld ar y traeth. Mae'n anifail cyffredin iawn, a gwelir y codau wyau gwag ar linell y broc môr.

Cragen foch/gwichiad moch
(*Nucella lapillus;* Dog whelk)
Mae lliw y molwsg yma'n amrywio, yn dibynnu ar beth mae'n ei fwyta. Gall fod yn wyn-hufen neu'n frown golau, a cheir rhai â llinellau ar y gragen. Mae'n hoff o draethau creigiog lle bydd yn bwyta cregyn eraill fel y cregyn llong a'r cregyn gleision. Mae'n dodwy clwstwr o wyau ar y graig.

Cramenogion

Cregyn llong (*Semibalanus balanoides;* Barnacles)
Ceir sawl math gwahanol o'r rhain ar gerrig a chreigiau ar draethau creigiog. Diogelir corff yr anifail gan gragen siâp llosgfynydd ond pan ddaw'r llanw i mewn, bydd y twll yn agor a 'phluen' arbennig yn chwifio yn y dŵr i ddal bwyd.

Corgimwch (*Palaemon elegans;* Prawn)
Anifail cyffredin mewn pyllau ar draethau creigiog ac un anodd i'w weld nes iddo symud. Bydd yn defnyddio'i gynffon lydan i nofio tuag yn ôl pan gaiff ei fygwth.

Creaduriaid di-asgwrn-cefn

Slefren gylchog (*Aurelia aurita;* Common jellyfish/Moon jellyfish)
Anifail tryloyw sydd weithiau'n cael ei olchi i'r lan mewn stormydd. Mae ganddi gylchau porffor tu mewn i'r corff a hon yw'r slefren fwyaf cyffredin yn y môr o amgylch Prydain. O dan yr ymbarél, ceir tentaclau byr a phedair ceg ar freichiau arbennig.

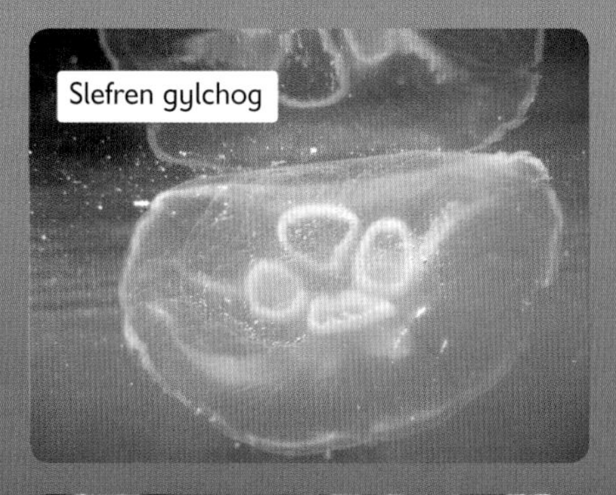

Abwyd y tywod/Lwgwn (*Arenicola marina;* Lugworm)
Creadur sy'n tyllu i mewn i fwd a thywod ar draethau ac mewn aberoedd. Mae'n gadael baw torchog wrth geg twll sy'n arwain at dwnnel siâp 'U'. Anifail cyffredin iawn ac yn fwyd pwysig i adar fel y gylfinir. (Gweler tud.36-37)

Chwannen y traeth
(*Talitrus saltator*; Sand-hopper)
Anifail cyffredin â chorff sgleiniog sy'n byw o dan wymon a cherrig ar draethau tywodlyd. Pan godir y gwymon, bydd yn neidio'n wyllt cyn cropian i guddio.

Berdysen (*Crangon crangon*; Shrimp)
Anifail cyffredin mewn dyfroedd bas, tywodlyd ac mewn pyllau. Mae'r smotiau brown a'i gorff lled dryloyw yn guddliw perffaith er mwyn iddo allu cuddio yn y tywod.

Anemoni gleiniog/buwch goch (*Actinia equina*; Beadlet anemone)
Anifail niferus ar ganol a rhan isaf traethau creigiog. Bydd yn glynu wrth greigiau gan ddefnyddio sugnydd cryf. Pan fydd dan y dŵr mae'r tentaclau'n amlwg, ond yn yr awyr agored mae'n debyg i lwmp o jeli. Gall y lliw amrywio ond fel arfer mae'n goch.

Siani garpiog (*Nereis diversicolor*; Ragworm)
Anifail rheibus sy'n gyffredin iawn ar draethau ac mewn aberoedd tywodlyd a mwdlyd. Ceir blew arbennig ar bob un o segmentau'r corff a gall dyllu'n dda. Mae'n abwyd pwysig i bysgotwyr.

Blodau min y traeth

Celynnen y môr

Llwylys (*Cochlearis officinalis;* Scurvy grass)
Fe'i gwelir yn y gwanwyn ar glogwyni a chreigiau'r arfordir, ar waliau, ac ar ochrau llwybrau a ffyrdd ger y môr. Bydd yn ymddangos fel twmpathau o flodau gwyn. Mae ganddo ddail gwyrdd tywyll, sgleiniog, sy'n llawn fitamin C. Dail sgyrfi yw enw arall arno, am ei fod wedi ei ddefnyddio i drin y sgyrfi – afiechyd a achosir gan ddiffyg llysiau a ffrwythau ffres. Flynyddoedd yn ôl roedd morwyr yn arfer dioddef yn arw o'r sgyrfi. Felly pan fydden nhw'n glanio ar ôl bod ar y môr, fe fydden nhw'n chwilio am y llwylys ac yn cnoi'r dail er mwyn cael y fitamin C neu asid asgorbig.

Celynnen y môr (*Eryngium maritimum;* Sea-holly)
Fe'u gwelwch yn glystyrau llwydwyrdd ar y twyni tywod sydd agosaf at y môr. Mae'r enw celyn yn addas iawn gan fod y dail yn bigog ac yn debyg i gelyn. Mae'r blodyn yn dlws – yn ganol mawr siâp côn neu wy o liw glas hyfryd – yn union fel petai'n ffrwydro allan o ganol y bractiau pigog. Mae gwythiennau llwyd sydd i'w gweld ar y bractiau yn ychwanegu at eu harddwch.

Corn carw'r môr (*Crithimum maritimum;* Rock samphire)
Mae'r dail cyfansawdd yn edrych yn debyg i gyrn carw. Maen nhw'n drwchus ac yn llawn sudd. Addasiad ydi hwn rhag colli dŵr o'r planhigyn gan ei bod yn sych ar y creigiau. Mae arogl braf ar y planhigyn. Erstalwm, roedd pobl yn arfer casglu'r dail ifanc ym mis Mai ac yn gwneud picl blasus ohonyn nhw. Mae'n blodeuo o fis Gorffennaf tan tua mis Hydref.

Llwylys

Corn carw'r môr

Amranwen arfor

Amranwen arfor (*Tripleurospermum maritimum*; Sea mayweed)
Planhigyn lluosflwydd â dail mân a phen gyda chanol melyn a phetalau rheiddiol gwyn. Mae'n blodeuo o fis Gorffennaf tan tua mis Hydref ac yn nodweddiadol o'r arfordir.

Betys arfor

Betys arfor (*Beta maritima*; Sea beet)
Planhigyn lluosflwydd sy'n aml yn ymledu'n flêr ac yn ffurfio clystyrau amlwg iawn ar draethau graeanog, ymylon corsydd heli, morgloddiau, creigiau glan y môr a chlogwyni uwchben y môr. Mae llawer iawn o siwgr yn y gwreiddyn trwchus.

Hocyswydden

Hocyswydden (*Lavatera arborea*; Tree mallow)
Planhigyn sy'n tyfu i 3 metr o daldra. Mae'r blodau'n weddol fawr ac yn lliw pinc/porffor â chanol du. Mae'n tyfu ar dir creigiog a charegog ger y môr. Dail rhocos ydi enw arall arnynt.

Dulys

Dulys (*Smyrnium olusatrum;* Alexanders)
Planhigyn o ardal Môr y Canoldir, o Facedonia, a oedd yn arfer cael ei alw'n 'the Parsley of Alexandria'. Mae'r dail wedi'u rhannu deirgwaith yn llabedau gwyrdd tywyll, gloyw, ac mae blodau melynaidd i'w gweld Mawrth-Mehefin. Gallwch fwyta'r coesau, sy'n debyg iawn i seleri.

Moron y maes

Moron y maes (*Daucus carota*; Wild carrot)
Planhigyn â phen gwyn mewn wmbel, ac mae i'w weld ar laswelltir sych ar dir calch ac wrth yr arfordir. Enw arall arno ydi nyth aderyn gan fod pen y blodyn yn suddo yn y canol pan fydd yn hadu, ac yn edrych yn debyg i nyth aderyn bach.

Traeth tywodlyd

Traeth Niwgwl, Sir Benfro

Mae nifer o draethau tywodlyd yng Nghymru – rhai fel Cefn Sidan, Pentywyn, Ynys-las, Morfa Harlech, Aberffraw, Llanddwyn, Gronant ger Prestatyn a thraethau Penrhyn Gŵyr.

Traeth llydan, tywodlyd yn Ardudwy ydi Morfa Harlech. Mae'n un o'r systemau twyni tywod pwysicaf yng ngwledydd Prydain ac yn un sy'n dal i dyfu. Mae'n rhan o Ardal Cadwraeth Arbennig Morfa Harlech ac yn Safle o Ddiddordeb Gwyddonol Arbennig.

Ambell dro, wrth edrych ar draeth tywodlyd, gallech gredu nad oes fawr ddim ond adar yn byw yma. Mi fyddech chi'n anghywir. O'r golwg dan y tywod mae cyfoeth o fywyd, yn llyngyr neu fwydod, cregyn ac aelodau o'r ffylwm (math o gategori mewn tacsonomeg) echinoderm. Felly bydd angen rhaw i chwilio amdanyn nhw, ond gofalwch eich bod yn eu rhoi yn ôl lle cawsoch hyd iddyn nhw.

Un o'r rheini ydi abwyd y tywod. Enwau eraill arno yn Gymraeg ydi lwgwn, abwyd llwyd a llyngyr y traeth. Mae'n anifail eithaf cyffredin ar draethau Cymru, ac yn byw islaw wyneb y tywod mewn twnelau siâp J, tua 20 cm i lawr. Mae'n debyg i lyngyren neu bry genwair ond ei fod o liw gwahanol – yn gochlyd, yn felynwyrdd neu'n ddu. Ar ddeunydd organig fel micro-organebau a detritws sydd yn y mwd neu'r tywod mae'n byw ac mae'n rhan bwysig iawn o fywyd traethau ac aberoedd. Gan y gall yr abwydod hyn fod yn gymaint â 30% o'r biomas ar draeth tywodlyd, maen nhw'n rhan allweddol o gadwyn fwyd traeth ac aber.

Wrth fwyta tywod yn eu twnnel, maen nhw'n ei dynnu i lawr o wyneb y traeth gan adael pant bach ar wyneb y tywod.

(Gweler hefyd dud.36–37 a 42–43).

Gwylan gefnddu leiaf

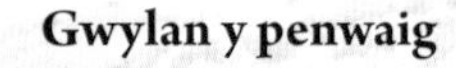

Gwylan y penwaig

Gwylan y penwaig
(*Larus argentatus*;
Herring gull)
Gwylan fawr, gyffredin ar yr arfordir, ar domennydd sbwriel ac mewn dinasoedd a threfi mawr. Mae gan oedolion gefn llwydlas golau, corf gwyn a smotiau gwyn ar flaen du'r adenydd. Pinc yw lliw y coesau a cheir smotyn oren ar flaen y pig melyn. Brown brith yw lliw adar ifanc.

Cocos

Ar ôl tynnu maeth o'r tywod, fe fyddan nhw'n yn ei allanoli o'r corff, gan adael un o'r tomenni cyfarwydd wrth ymyl y pant. Mae modd amcangyfrif maint yr abwydyn o faint yr olion, a pha mor bell o'r olion mae'r pant.

Bydd adar fel y gylfinir yn hoff o fwyta abwyd y tywod ac mae ei big hir yn ddelfrydol i'w wthio i lawr i'r twnnel i gael gafael arno.

Mae'r Siani garpiog yn perthyn i'r ffylwm *Annelida*, yr un teulu â'r mwydyn, a gall fod hyd at 12 cm o hyd. Yn y corffyn bychan yma mae tua 120 o segmentau, a phethau tebyg i flew bychain - parapodia - ar bob un o'r segmentau, sy'n gwneud i ochrau'r anifail edrych yn garpiog. Mae'n perthyn i'r dosbarth *Polychaeta*, ac mae llawer o flew gan bob llyngyren sy'n perthyn i'r dosbarth hwn.

Abwyd y tywod

Mae nifer o folysgiaid i'w cael dan y tywod ym Morfa Harlech, gan gynnwys y gyllell fôr a chocos.

Siani garpiog

Cyllell fôr

Twyni tywod

Gwiberlys

Mae twyni tywod yn ffurfio ar ochr yr arfordir i draethau tywodlyd wrth i'r gwynt chwythu tywod i mewn i'r tir. Wrth i raean mân y tywod daro yn erbyn planhigion mae twmpathau bach o dywod yn dechrau ffurfio. Yn raddol bydd gwreiddiau planhigion fel y moresg yn sefydlogi'r twmpath nes ffurfio twyni.

Cafodd Twyni Cynffig eu ffurfio adeg cyfres o stormydd enfawr yn yr Oesoedd Canol a chwythwyd cymaint o dywod i'r mewndir nes gorchuddio ffermydd, castell a phentref cyfan. Ar un adeg, roedd twyni tywod yn ymestyn yr holl ffordd o fro Gŵyr i aber afon Ogwr ond erbyn heddiw ychydig o'r twyni gwreiddiol sydd ar ôl.

Mae Twyni a Phwll Cynffig wedi eu dynodi'n Warchodfa Natur Cenedlaethol.

Heb os, mae Twyni Cynffig yn safle gwych i fotanegwyr.

Ceir dros ddwsin o wahanol fathau o degeirianau yma, gan gynnwys tegeirian y gors cynnar (*Dactylorhiza incarnata*; Early marsh-orchid), tegeirian bera (*Anacamptis pyramidalis*; Pyramidal orchid), tegeirian y wenynen (*Ophrys apifera*; Bee orchid) a llawer math gwahanol o galdrist. Seren y sioe, fodd bynnag, ydi tegeirian y fign galchog (*Liparis loeselii*; Fen orchid) gyda dros 60% o boblogaeth Prydain yng Nghynffig ac yn un safle arall yn ne Cymru.

Ymysg y planhigion blodeuol eraill sydd i'w gweld yma mae'r gellesg drewllyd (*Iris foetidissima*; Stinking iris), crwynllys yr hydref (*Gentianella amarella*; Autumn gentian), gwiberlys (*Echium vulgare*; Viper's bugloss) a chelynnen y môr (*Eryngium maritimum*; Sea holly). Ond y planhigyn mwyaf amlwg ar y twyni, wrth gwrs, ydi'r moresg. Mae gwraidd y moresg yn glytwaith o wreiddiau sy'n croesi ei gilydd yn blith draphlith. Mae'r rhain

Tegeirian y fign galchog

Tegeirian bera

Twyni Ynys-las, ger Aberystwyth

Ehedydd

Clochdar y cerrig

Capiau cwyr

yn cadw'r tywod yn y pocedi bychain sy'n cael eu ffurfio fel hyn, ac felly'n raddol yn arwain at sefydlu'r twyni. Mae'r enw gwyddonol – *Ammophila arenaria* yn dangos lle mae o'n tyfu. Ystyr y gair Lladin *arenaria* ydi 'pwll tywod'. 'Marram grass' ydi'r enw Saesneg ar y planhigyn.

Mae'n safle pwysig i wahanol ffyngau, yn enwedig yn yr hydref, gan gynnwys amrywiaeth o gapiau cwyr (*Hygrocybe*; Wax caps).

Bydd adar fel clochdar y cerrig a'r ehedydd yn nythu ymysg y twyni a bydd rhydwyr a hwyaid yn defnyddio'r pwll, yn enwedig yn yr hydref a'r gaeaf. Yn yr hesg o amgylch y llyn bydd adar fel telor yr hesg (*Acrocephalus schoenobaenus*; Sedge warbler) a bras y cyrs (*Emberiza schoeniclus*; Reed bunting) yn nythu ac mae'n un o'r ychydig safleoedd lle bydd aderyn y bwn (*Botaurus stellaris*; Bittern) i'w weld bron pob gaeaf.

Mae twyni eang iawn hefyd yn Aberffraw a Niwbwrch yn ne-orllewin Ynys Môn, lle ceir nifer fawr o blanhigion gan gynnwys caldrist y twyni (*Epipactis palustris*; Marsh helleborine). Mae'r coed pinwydd yn Niwbwrch yn gynefin pwysig i'r wiwer goch.

Ym Morfa Dyffryn a Morfa Harlech mae twyni sy'n ymestyn y tu ôl i draeth hir, tywodlyd yr holl ffordd o dref Harlech i aberoedd afonydd Glaslyn a Dwyryd. Ceir amrywiaeth o degeirianau, ffyngau a gloÿnnod byw yno.

Mae twyni tywod di-ail hefyd yn Ynys-las.

Gellesgen ddrewllyd

Traeth graeanog

Mae traethau graeanog yn cynnig llety i amrywiaeth o adar a phlanhigion ar yr arfordir. Mae'r Gronant, ger Prestatyn, Bae Breichled ger y Mwmbwls, rhai o draethau Ogwr a threath Cemlyn ym Môn yn enghreifftiau o draethau graeanog.

Mae Cemlyn yn rhan odidog o Ardal o Harddwch Naturiol Eithriadol arfordir gogledd Môn. Traeth o raean ar ffurf hanner cylch ydi Cemlyn ac fe gafodd ei ffurfio gan gerrig mân a chregyn a yrrwyd i'r lan gan stormydd ac ymchwydd y tonnau i wneud twmpath mawr o raean. Y tu hwnt i'r esgair yma mae llyn o ddŵr lled hallt a dwy ynys fechan yn y llyn, sy'n gartref i dros 2,000 o barau o fôr-wenoliaid.

Môr-wennol gyffredin

Môr-wennol y gogledd

Môr-wennol bigddu

Mae'r fôr-wennol gyffredin (*Sterna hirundo;* Common tern) yn nythu ar y llawr ar yr ynysoedd heb drafferthu i adeiladu nyth, dim ond crafu twll bas ar y ddaear a'i leinio â beth bynnag sy'n hwylus wrth law. Bydd yr iâr yn dodwy tua thri o wyau llwydaidd neu wyrdd, sy'n cymryd tair wythnos i fis i ddeor. Mae'n aderyn deniadol, yn debyg i'r wennol o ran siâp ond yn wyn neu'n llwyd golau â phen du, trawiadol. Mae gan y fôr-wennol gyffredin big a thraed coch, a choesau sydd dipyn hwy na rhai môr-wennol y gogledd (*Sterna paradisaea;* Arctic tern).

Y fôr-wennol bigddu (*Sterna sandvicensis;* Sandwich tern) ydi'r fwyaf o'r pedair rhywogaeth o fôr-wenoliaid sy'n nythu ar draeth Cemlyn ond dydi'r pig ddim yn hollol ddu gan fod blaen melyn iddo. Mae golwg ddoniol ar ben yr aderyn yma – yn union fel gwallt plentyn ysgol sydd heb gael amser i gribo'i wallt cyn rhuthro allan yn y bore.

Traeth Cemlyn, Ynys Môn

Dail yr ysgedd arfor

Aeron yr ysgedd arfor

Y fôr-wennol hon ydi'r fwyaf cyffredin ar draeth Cemlyn, gyda dros 2,000 o barau i'w gweld yma.

Y prinnaf o'r môr-wenoliaid ydi'r fôr-wennol wridog (*Sterna dougallii;* Roseate tern) ac er bod y rhain wedi ymweld â Cemlyn, dydyn nhw ddim wedi nythu yma yn ystod y blynyddoedd diwethaf.

Rhywbeth arall sydd o ddiddordeb yng Nghemlyn ydi'r ysgedd arfor neu fresych y môr (*Crambe maritima*; Sea kale). Mae'n tyfu mewn clystyrau mawr yng nghanol y graean, er ei fod wedi prinhau mewn sawl lle ar hyd yr arfordir. Y rheswm am hyn ydi fod y dail yn arfer cael eu bwyta erstalwm. Yn sgil cyhoeddi pamffledyn gan William Curtis yn 1799 â'r teitl crand 'Directions for Cultivating the *Crambe maritima*, or Sea Kale, for Use of the Table,' magodd byddigions Llundain flas at y planhigyn ac aed ati i'w dynnu o bob glan môr a'i werthu, nes ei fod yn gymharol brin erbyn hyn.

Gofalu am ein traethau

Bygythiadau

- Datblygiadau: cyrsiau golff, parciau carafannau a stadau diwydiannol sy'n creu llygredd dynol.
- Trychinebau: Trawodd llong y *Sea Empress* greigiau ger arfordir sir Benfro yn 1996 gan ollwng miloedd o dunelli o olew i'r môr a lladd miloedd o blanhigion, anifeiliaid ac adar.
- Plastig: Mae poteli, bagiau a rhwydi plastig yn lladd creaduriaid fel adar a chrwbanod môr (*Chelonioidea*; Sea turtles), a bydd y darnau lleiaf yn dod yn rhan ddinistriol o'r gadwyn fwyd am ganrifoedd i ddod.

Diogelu a helpu
Mae'n hanfodol bwysig ein bod yn:

- **ailgylchu popeth,**
- **taflu llai o wastraff,**
- **helpu mudiadau cadwraethol i lanhau ein traethau.**

Gwylogod

Clogwyni

Mae swyn rhyfeddol yn y mannau hynny lle mae'r môr a'r tir yn cyfarfod fel Pen Llŷn a Phenrhyn Dewi, ac mae'r clogwyni serth uwchlaw'r môr brochus yn Ynys Lawd yn gyfareddol.

Yn y gwanwyn byddwch yn siŵr o glywed crio'r gwylogod a'r llursod sy'n nythu ar silffoedd ar y clogwyni serth. Mae'n bur debyg y gwelwch chi ambell bâl a brân goesgoch o gwmpas hefyd. Bydd y gwylogod a'r llursod yn dechrau cyrraedd y clogwyni tua dechrau mis Mawrth ac yn aros tan ddechrau mis Gorffennaf. Fel arfer bydd tua 8,000 o wylogod, tua 1,500 o lursod a nifer o adar drycin y graig a gwylanod coesddu yn nythu ar y silffoedd ar y clogwyni ymhell uwchlaw'r môr.

Rhyfeddod arall ydi'r blodau gwyllt sy'n tyfu yma, a hynny ar y rhostir agored yn nannedd gwynt Môr Iwerddon.

Ynys Lawd, ger Caergybi

Gludlys arfor (*Silene uniflora*; Sea campion) Planhigyn lluosflwydd sy'n ffurfio clystyrau llac ar glogwyni a chreigiau ger y môr ydi hwn. Mae gan y blodyn bum petal ac mae'r calycs yn siâp pledren silindrog.

Ar y rhostir agored hwn fe welwch hefyd yn y gwanwyn flodau neidr neu flodau taranau (*Silene dioica*; red campion), fioledau, llyriaid arfor (*Plantago maritima*; Sea plantain) a gwair, ac yn yr hydref gwrlid porffor a melyn y grug a'r eithin mân.

Gludlys arfor

Plucen felen

Plucen felen (*Anthyllis vulneraria;* Kidney vetch)
Mae petelau'r blodyn hwn fel petaen nhw wedi cael eu lapio'n ofalus mewn gwlân cotwm rhag iddyn nhw falu. Ond maen nhw ymhell o fod yn fregus gan fod angen i blanhigyn fod yn wydn i fyw mewn man fel hwn. Mae'n aml iawn yn wyntog yma, a gwyntoedd geirwon yn chwipio ar hyd y llethrau. Felly mae'r blodyn hwn yn tyfu'n agos at y ddaear.

Clustog Fair (*Armeria maritima;* Thrift)
Blodyn pinc tywyll, cymharol fychan, sy'n tyfu mewn clystyrau'n glòs iawn at ei gilydd. Mae'r blodau'n sefyll fel soldiwrs uwchben y dail gwyrdd sy'n tyfu'n agos at y ddaear. Gan fod y

Clustog Fair

blodau'n agos at ei gilydd, maen nhw darged hawdd i'r pryfetach gyrchu atyn nhw. Mae'n blanhigyn cyffredin ar lan y môr.

Seren y gwanwyn (*Scilla verna;* Spring squill)
Mae seren y gwanwyn yn haeddu ei henw. Blodyn sy'n aelod o deulu'r lili ydi hwn ac mae'n weddol hawdd ei nabod. Mae'n perthyn i glychau'r gog, ac mae'r ddau flodyn yn debyg i'w gilydd. Ond mae seren y gwanwyn yn llai o faint, dydi'r glas ddim mor ddwfn, ac mae'r blodau'n nes at y ddaear na rhai clychau'r gog. Mae'r creigiau uwchben Ynys Lawd yn lle da iawn i'w weld, gan ei fod yn tyfu'n hwylus yn ymyl y llwybr.

Seren y gwanwyn

Cudyll bach

Aber afon Dyfi

Aberoedd

Mae nifer o aberoedd pwysig yng Nghymru, gan gynnwys: Hafren, Gwy, Taf, Gwendraeth, Cleddau, Teifi, Rheidol, Dyfi, Mawddach, Dwyryd, Malltraeth, Conwy a Dyfrdwy.

Aber afon Dyfrdwy: Cymysgedd o ddŵr bas, mwd cyfoethog, morfa, corstir a chaeau arfordirol. Un o'r aberoedd pwysicaf ym Mhrydain i bob math o greaduriaid, ac yn enwedig i adar mudol sy'n treulio'r gaeaf yn y wlad hon, a bydd eogiaid a sewin yn ymweld â'r aber ar eu ffordd yn ôl ac ymlaen o'r afon i'r môr.

Adar y dŵr ydi prif atyniad yr ardal. Mae'r bysgodfa gocos a'r bwyd helaeth yn denu 110,000 o rydwyr yno, a daw 20,000 o hwyaid i dreulio'r gaeaf ar yr aber. Ceir saith rhywogaeth gwahanol yma, mewn niferoedd sy'n bwysig yn rhyngwladol – adar megis y rhostog gynffonddu (*Limosa limosa*; Black-tailed godwit), pioden y môr (*Haematopus ostralegus*; Oystercatcher) a'r hwyaden lostfain (*Anas acuta*; Pintail). Mae'r cyfoeth o adar y dŵr yn denu adar ysglyfaethus megis yr hebog tramor (*Falco peregrinus*; Peregrine) a'r cudyll bach (*Falco columbarius*; Merlin).

Tingoch

Hwyaden lostfain

Mae Ynys Hilbre gerllaw yn gartref i dros 500 o forloi llwyd ac yn denu adar bach fel y teloriaid a'r tingoch (*Phoenicurus phoenicurus*; Redstart) wrth iddynt fudo ar draws Ewrop.

Yng Nghors Dyfi mae un o adar prinnaf Cymru, sef gwalch y pysgod (*Pandion haliaetus*, osprey) yn nythu, a gellir gweld yr adar a'r nyth o ganolfan ymwelwyr sydd ar agor drwy'r gwanwyn a'r haf. Ceir pâr hefyd ger Porthmadog, ar lannau'r afon Glaslyn.

Gwalch y pysgod

Aber afon Hafren: Mae'n denu adar megis pibydd y mawn (*Calidris alpina*; Dunlin), chwiwell (*Anas penelope*; Wigeon) ac alarch Bewick (*Cygnus columbarius*; Bewick's swan). Daw pysgod mudol yno, yn enwedig yr eog (*Salmo salar*; Atlantic salmon) a'r llysywen (*Anguilla anguilla*; Eel). Byddai adeiladu argae ar draws yr aber hwn yn arbennig o niweidiol i'r rhain.

Aber afon Dyfi: Dyma'r unig safle yng Nghymru lle bydd gŵydd dalcenwyn yr Ynys Las (*Anser albifrons*; Greenland white-fronted goose) yn gaeafu. Yma hefyd ceir haid o wyddau gwyran (*Branta leucopsis*; Barnacle goose), y corhwyad (*Anas crecca*; Teal) a'r gylfinir (*Numenius arquata*; Curlew). Yn y gwanwyn mae'r caeau isel o amgylch yr aber yn safle nythu pwysig i'r gornchwiglen (*Vanellus vanellus*; Lapwing) ac yma mae gwarchodfa Ynys-hir yr RSPB a gwarchodfa Cors Dyfi.

Rhostog cynffonfraith (*Limosa lapponica*; Bar-tailed godwit)
Aderyn tebyg i'r rhostog cynffonddu ond yn fwy di-liw; mae ganddo linellau mân ar y gynffon, adenydd brown a phig hir, sy'n troi at i fyny. Mae'n ymwelydd eithaf cyffredin â'n haberoedd a chaeau ar hyd yr arfordir yn yr hydref a'r gaeaf.

Ynysoedd

Llygoden bengron Sgomer

Môr-wyntyll pinc

O amgylch arfordir Cymru mae nifer o ynysoedd bach ac mae'r rhan fwyaf ohonynt yn bwysig ar gyfer bywyd gwyllt. Rhai ohonynt yw Hilbre, Seiriol, Ynysoedd y Moelrhoniaid, Enlli, Gifftan, Dewi, Sgomer, Sgogwm, Ynys Bŷr, Gwales ac Echni. Heb os, mae Ynys Sgomer yn un o warchodfeydd natur pwysicaf Prydain. Mae'n gartref i dros 250,000 o adar môr, a cheir amrywiaeth helaeth o fywyd gwyllt tanddwr o gwmpas yr ynys hefyd. Rhyw 3.2 km o hyd a 2.4 km o led ydi'r ynys ac mae wedi'i lleoli tua 1 km oddi ar arfordir sir Benfro. Er mai Cyfoeth Naturiol Cymru sy'n berchen ar yr ynys, mae'n cael ei rheoli gan Ymddiriedolaeth Bywyd Gwyllt De a Gorllewin Cymru.

Sgomer ydi'r ynys bwysicaf yn y byd i adar drycin Manaw (*Puffinus puffinus*; **Manx shearwater**), gyda dros 120,000 o barau yn nythu mewn tyllau tanddaearol yno. Bydd 6,000 o barau o balod yn rhannu'r tyllau gydag adar drycin Manaw a'r cwningod a gyflwynwyd i'r ynys i'w ffermio am eu ffwr a'u cig. Bydd miloedd o lursod, gwylogod, gwylanod coesddu ac adar drycin y graig (*Fulmarus glacialis*; **Fulmar**) yn nythu ar y clogwyni serth yn ogystal ag adar rheibus, megis yr hebog tramor (*Falco peregrinus*; **Peregrine**) a'r gigfran (*Corvus corax*; **Raven**).

Ym misoedd Mai a Mehefin mae llawer o'r ynys wedi ei gorchuddio â blodau lliwgar clychau'r gog (*Hyacinthoides non-scripta*; **Bluebell**) a blodau neidr (*Silene dioica*; Red campion) ac am weddill yr haf, rhedyn yw'r planhigyn amlycaf. Mae hwn yn fwyd pwysig i lygoden unigryw, sef llygoden bengron Sgomer (*Clethrionomys glareolus skomerensis;* Skomer vole), sef

Clychau'r gog ar Ynys Sgomer

is-rywogaeth o'r llygoden bengron goch (*Clethrionomys glareolus;* Bank vole). Mae'r ynys hefyd yn gartref i'r fagïen/tân bach diniwed (*Lampyris noctiluca;* Glow-worm), chwilen sy'n creu golau naturiol er mwyn denu cymar, ac yn yr hydref mae'n lleoliad gwych i weld adar mudol prin.

Mae'r môr o amgylch Sgomer wedi'i ddynodi'n Warchodfa Natur Forol, yr unig un yng Nghymru. Yma, ceir niferoedd pwysig o ddolffiniaid, llamhidyddion a'r morlo llwyd, sy'n rhoi genedigaeth i rai bach ar draethau anghysbell yr ynys bob hydref. O dan y tonnau ceir cymysgedd o anifeiliaid fel y môr-wyntyll pinc (*Eunicella verrucosa;* Pink sea fan) sy'n hoff o ddyfroedd cynnes, a chimychiaid a chrancod, sy'n hoff o ddyfroedd oerach.

Ynys Enlli – Ynys wedi'i lleoli oddi ar benrhyn Llŷn sy'n hanesyddol bwysig ac sydd, dros y canrifoedd, wedi denu pererinion o bedwar ban byd. Ar un adeg, roedd pentref ac ysgol arni ond, heddiw, mae'n gartref i amrywiaeth o fywyd gwyllt, gan gynnwys adar drycin Manaw, piod y môr, brain coesgoch a morloi llwyd.

Ynys Echni – Ynys galchog rhyw 4 milltir o Gaerdydd sy'n gartref i blanhigion prin fel y genhinen wyllt, miloedd o wylanod a nadroedd defaid (*Anguis fragilis;* Slow worm).

Hebog tramor

Tân bach diniwed
Hyd y fenyw: 14 mm

Huganod ar Ynys Gwales – ynys unig oddi ar arfordir sir Benfro lle mae dros 30,000 o barau o huganod yn nythu.

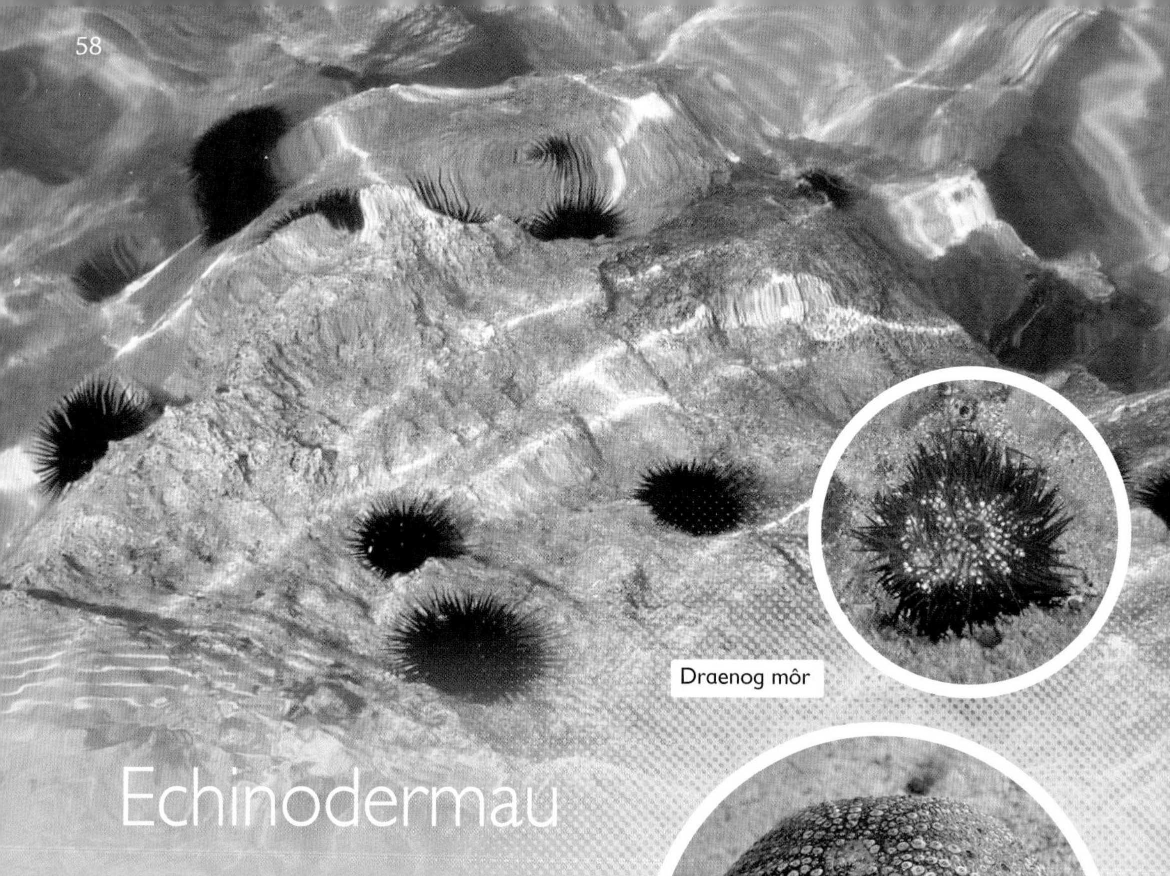

Draenog môr

Echinodermau

Mae'r anifeiliaid yma ymysg y rhai mwyaf hynod ym myd natur. Mae llygoden y môr, y seren fôr, gwlithen y môr, draenog môr a'r seren frau i gyd yn aelodau o ffylwm yr Echinodermau. Yr hyn sy'n eu gwneud yn wahanol i anifeiliaid eraill ydi fod ganddyn nhw gorff sydd wedi'i rannu'n bump. Os ystyriwch chi'r seren fôr, mae'n weddol amlwg beth mae hyn yn ei olygu: mae gan y seren fôr bum rhan amlwg iawn a phetaech yn tynnu llinell i lawr ei chanol byddech yn cael dau hanner cyfartal.

Nodwedd arall sy'n perthyn iddyn nhw ydi'r sgerbwd allanol - yr hyn sy'n cael ei alw yn Saesneg yn *exoskeleton*. Mae'r ysgerbwd allanol yma wedi'i wneud o ddeunydd calchaidd.

Draenog môr (*Echinus esculentsus*; Common sea-urchin)
Gwelir hwn mewn dŵr dwfn o amgylch yr arfordir. Mae o liw porffor/frown ac mae pigau main dros y corff i gyd. Caiff yr enw draenog môr am fod y pigau'n debyg i rai draenog. Mae modd gweld y sgerbwd gwag ar draethau tywodlyd.

Llygoden y môr/taten y môr/ gwelchyn (*Echinocardium cordatum;* Sea potato neu heart urchin)
Mae haenen denau o groen ar y sgerbwd hwn, ac ar y sgerbwd a thrwy'r croen mae blew pigog sy'n agos iawn at ei gilydd a'r rhan fwyaf yn cyfeirio at yn ôl. Dyma sy'n gwneud yr anifail bach hwn yn debyg i lygoden.

Mae ceg yr anifail ar ochr isaf y corff, ac mae'n tyllu tua 15-30 cm i lawr i mewn i'r tywod. Mae'n cadw cysylltiad ag wyneb y môr drwy sianel resbiradu sy'n gadael siâp twmffat ar wyneb y tywod, a dyma sut mae modd gweld ble mae'n byw.

Llygoden y môr

Seren fôr (*Asterias rubens;* Common starfish)
Anifail cyfarwydd sydd â chroen dafadennog orengoch. Creadur rheibus gyda phum troed tiwb sy'n bwyta cregyn ddeuglawr fel cregyn gleision ond bydd hefyd yn bwydo ar gyrff marw creaduriaid y môr.

Seren frau (*Ophiothrix fragilis;* Common brittle star)
Mae hon yn isel ar y traeth fel rheol ac i'w gweld ymysg y gwymon ac o dan gerrig. Mae ei chanol fel disg sydd hyd at 20 mm mewn diamedr, a phum braich denau, fregus yn dod allan ohono. Gall y lliw amrywio'n fawr - o goch i wyn i frown.

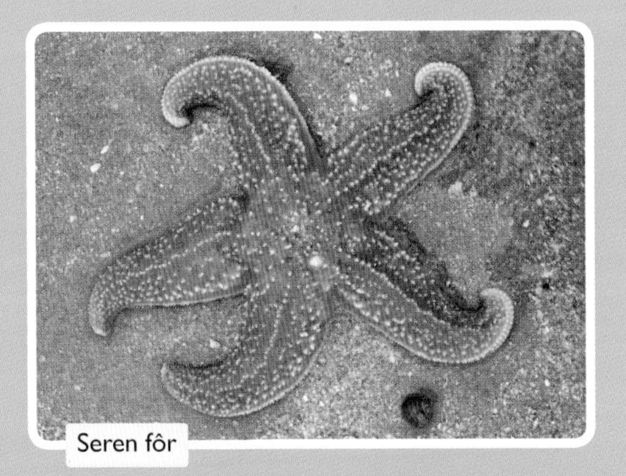
Seren fôr

Seren frau

Adran adnabod

Fedrwch chi ddod o hyd i'r rhain ar lan y môr?

Maneg y graig
Pwrs y fôr-forwyn
Seren y gwanwyn
Wyau'r gragen foch fwyaf
Pâl
Cocos
Mulfran
Morlo
Cwtiad y traeth
Llurs
Chwannen y traeth
Clustog Fair

Gwichiad
Brân goesgoch
Anemoni gleiniog
Gwylan y penwaig
Cragen las
Cranc coch
Celynnen y môr
Cragen long
Seren fôr
Pioden fôr
Dulys
Gwylog

GEIRFA CYNEFIN

Asgell ddorsal - asgell ar gefn llamhidydd, dolffin neu bysgodyn (dorsal fin).
Biomas - maint neu bwysau organebau mewn lle neu gyfaint penodol.
Caldrist - mathau o degeirian (helleborine).
Cocosen Job (*Acanthocardia echinata*; Prickly cockle).
Cocosen y gwylanod (*Scrobularia plana*; Peppery furrow shell).
Cragen daradr (*Turritella communis*; Auger or screw shell).
Cragen Iago/Fair (*Trivia monacha*; European cowrie).
Cranc melyn/ cranc mygydol (*Corystes cassivelaunus*; Sand crab /Masked crab).
Cydfwyta - symbiosis.
Dafadennog - lympiau ar y croen (warty).
Distyll - Low tide, low water.
Gefel - 'crafanc' ar flaen coes cranc (crab's claw).
Ffylwm - math o gategori mewn tacsonomeg.
Heigiau - grŵp o lamhidyddion, dolffiniaid neu bysgod (school neu shoal).
Llanw mawr - Spring tide.
Llanw isel, llanw bach, marddwr, dwr wedi torri - Neap tide.
Llymarch/Wystrysen (*Ostrea edulis*; Common European oyster).
Magïen - chwilen sy'n creu golau naturiol (glow-worm).
Môr-wiail byseddog (*Laminaria digitata*; Oarweed).
Penllanw neu gorllanw - High tide, high water.
Petalau rheidiol - petalau sy'n ymestyn allan o ganol blodyn.
Polyp - ffurf eisteddog o anifeiliaid fel y slefren fôr.
Rhydiwr/rhydwyr - adar â choesau hir (wading bird)
Teimlyddion - organau fel blew hir ar flaen cyrff rhai anifeiliaid (antennae/feelers).
Trai - Ebb tide.
Tryloyw - 'transparent' neu 'see-through'.
Ynys Echni - Flatholm Island.
Ynys Gwales - Grassholm Island.
Wmbrel - clwstwr o flodigau bach yn dod allan o ganol blodyn ar goesyn o'r un maint.

GWEFANNAU, LLYFRAU A CHYMDEITHASAU

http://www.fishisthedish.co.uk/ - gwefan sy'n rhoi gwybodaeth ddifyr am bysgod
Marine Conservation Society (MCS) - cymdeithas sy'n ymwneud â chadwraeth morol, www.mcsuk.org
Marine Biological Association of the UK - mudiad sy'n hybu ymchwil morol, sec@mba.ac.uk
The Marine Life Information Network - mudiad sy'n casglu gwybodaeth i helpu rhywogaethau morol a hybu eu cadwraeth, www.marlin.ac.uk
Cyfoeth Naturiol Cymru - corff statudol sy'n edrych ar ôl bywyd gwyllt y môr a'r traethau, www.cyfoethnaturiolcymru.gov.uk
Yr Ymddiriedolaeth Genedlaethol - cymdeithas sy'n berchen ar lawer o draethau a chlogwyni ar arfordir Cymru, www.nationaltrust.org.uk
BTO Cymru - British Tust for Ornithology. Cymdeithas sy'n monitro adar yr arfordir a'r aberoedd, www.bto.org
RSPB - Y Gymdeithas Frenhinol ar Warchod Adar
www.seafish.com

Judith Oakley, *Seashore Safaris*, (Graffeg)
Paul Sterry, Andrew Cleave, *Collins Complete Guide to British Coastal Wildlife*, (HarperCollins)
Su Swallow, *The Seashore*, Usborne Spotters Guide, (Usborne)
Sarah Courtauld a Conrad Mason, *Seashore*, Usborne Naturetrail, (Usborne)
Paul Sterry, addasiad Iolo Williams a Bethan Wyn Jones, *Llyfr Natur Iolo*, (Gwasg Carreg Gwalch)
John Akeroyd, addasiad Bethan Wyn Jones, *Blodau Gwyllt Cymru ac Ynysoedd Prydain*, (Gwasg Carreg Gwalch)
J. D. Fish & S. Fish, *A Student's Guide to the Seashore*, (Cambridge University Press)
P. Hayward, T. Nelson-Smith, C. Shields, *Sea Shore of Britain and Europe*, (Collins)
Paul Kay and Frances Dipper, *A Field Guide to the Marine Fishes of Wales and Adjacent Waters*, (Wild Nature Press)
Richard R. Kirby, *Ocean Drifters: A Secret World Beneath the Waves*, (Studio Cactus Books)

MYNEGAI

Mae'r termau Lladin a Saesneg i'w cael ym mhrif gorff y llyfr